Ciencias Naturales

QUINTO GRADO

Esta edición de *Ciencias Naturales. Quinto grado* fue desarrollada por la Dirección General de Materiales Educativos (DGME), de la Subsecretaría de Educación Básica.

Secretaría de Educación Pública
Alonso Lujambio Irazábal

Subsecretaría de Educación Básica
José Fernando González Sánchez

Dirección General de Materiales Educativos
María Edith Bernáldez Reyes

Coordinación técnico-pedagógica
Dirección de Desarrollo e Innovación de Materiales Educativos, DGME/SEP
María Cristina Martínez Mercado, Ana Lilia Romero Vázquez, Alexis González Dulzaides

Autores
Nelly del Pilar Cervera Cobos, Gustavo David Huesca Guillén, Luis Tonatiuh Martínez Aroche, Adolfo Portilla González, Antonio Solís Lugo, Juana Guadalupe Rodríguez Arteaga, Luz María Luna Martínez, Lourdes Amaro Moreno

Colaborador
Humberto Torres Melchor

Revisión técnico-pedagógica
Óscar Osorio Beristain, Denysse Itzala Linares Reyes, Daniela Aseret Ortiz Martínez

Asesores
Lourdes Amaro Moreno, Leticia María de los Ángeles González Arredondo, Óscar Palacios Ceballos

Coordinación editorial
Dirección Editorial, DGME/SEP
Alejandro Portilla de Buen, Pablo Martínez Lozada, Esther Pérez Guzmán

Cuidado editorial
Sergio Campos Peláez

Iconografía
Diana Mayén Pérez

Producción editorial
Martín Aguilar

Formación
Magali Gallegos Vázquez

Portada
Diseño de colección: Carlos Palleiro
Ilustración de portada: Margarita Sada

Primera edición, 2010
Segunda edición, 2011 (ciclo escolar 2011-2012)

D.R. © Secretaría de Educación Pública, 2010
        Argentina 28, Centro
        06020, México, D.F.

ISBN: 978-607-469-672-1

Impreso en México
DISTRIBUCIÓN GRATUITA-PROHIBIDA SU VENTA

Servicios editoriales
Petra Ediciones, S.A. de C.V.

Coordinación, dirección de arte, diseño y diagramación
Peggy Espinosa

Producción y cuidado de la edición
Diana Elena Mata Villafuerte

Asesoría científica
Arturo Curiel Ballesteros

Asistente editorial
Eduardo Elías Ortiz Espinosa

Corrección de estilo
Sofía Rodríguez Benítez

Análisis de archivos digitales
Víctor Alain Iváñez

Agradecimientos
La Secretaría de Educación Pública agradece a los más de 40 284 maestros y maestras, a las autoridades educativas de todo el país, al Sindicato Nacional de Trabajadores de la Educación, a expertos académicos, a los Coordinadores Estatales de Asesoría y Seguimiento para la Articulación de la Educación Básica, a los Coordinadores Estatales de Asesoría y Seguimiento para la Reforma de la Educación Primaria, a monitores, asesores y docentes de escuelas normales, por colaborar en la revisión de las diferentes versiones de los libros de texto llevada a cabo durante las Jornadas Nacionales y Estatales de Exploración de los Materiales Educativos y las Reuniones Regionales, realizadas en 2008 y 2009, así como a la Dirección General de Desarrollo Curricular, Dirección General de Educación Indígena, Dirección General de Desarrollo de la Gestión e Innovación Educativa.

La SEP extiende un especial agradecimiento a la Organización de Estados Iberoamericanos para la Educación, la Ciencia y la Cultura (OEI), por su participación en el desarrollo de esta edición.

También se agradece el apoyo de las siguientes instituciones: Universidad Nacional Autónoma de México, Centro de Educación y Capacitación para el Desarrollo Sustentable de la Secretaría del Medio Ambiente y Recursos Naturales, Ministerio de Educación de la República de Cuba. Asimismo, la Secretaría de Educación Pública extiende su agradecimiento a todas aquellas personas e instituciones que de manera directa e indirecta contribuyeron a la realización del presente libro de texto.

Presentación

La Secretaría de Educación Pública, en el marco de la Reforma Integral de la Educación Básica, plantea una propuesta integrada de libros de texto desde un nuevo enfoque que hace énfasis en la participación de los alumnos para el desarrollo de las competencias básicas para la vida y el trabajo. Este enfoque incorpora como apoyo Tecnologías de la Información y Comunicación (TIC), materiales y equipamientos audiovisuales e informáticos que, junto con las bibliotecas de aula y escolares, enriquecen el conocimiento en las escuelas mexicanas.

Después de varias etapas, en este ciclo se consolida la Reforma en los seis grados y, en consecuencia, se presenta esta propuesta completa de los nuevos libros de texto, que abarca la totalidad de las asignaturas en todos los grados.

Este libro de texto incluye estrategias innovadoras para el trabajo escolar, demandando competencias docentes orientadas al aprovechamiento de distintas fuentes de información, el uso intensivo de la tecnología, la comprensión de las herramientas y de los lenguajes que niños y jóvenes utilizan en la sociedad del conocimiento. Al mismo tiempo, se busca que los estudiantes adquieran habilidades para aprender de manera autónoma, y que los padres de familia valoren y acompañen el cambio hacia la escuela mexicana del futuro.

Su elaboración es el resultado de una serie de acciones de colaboración, como la Alianza por la Calidad de la Educación, así como con múltiples actores entre los que destacan asociaciones de padres de familia, investigadores del campo de la educación, organismos evaluadores, maestros y expertos en diversas disciplinas. Todos ellos han nutrido el contenido del libro desde distintas plataformas y a través de su experiencia: a todos ellos, la Secretaría de Educación Pública les extiende un sentido agradecimiento por el compromiso demostrado con cada niño residente en el territorio nacional y con aquellos mexicanos que se encuentran fuera de él.

Secretaría de Educación Pública

▪▪ ▪ Conoce tu libro

En este libro se explica cómo los seres humanos forman parte de la Naturaleza y por qué es necesario que ésta se conozca y respete pero, sobre todo, que el individuo sea consciente de su participación dentro de ella y tome decisiones libres, responsables e informadas.

    El libro está organizado en cinco bloques; cada uno contiene temas, en los que encontrarás información que te servirá como base para que realices tus actividades. Los temas incluyen varias secciones o apartados:

Actividades
Con su ayuda realizarás investigaciones y proyectos colectivos para desarrollar habilidades científicas que te permitan comprender tu entorno y sus problemas, para que puedas proponer y participar en acciones que mejoren el trabajo en equipo.

Aprendizajes esperados
Texto que te indica el conocimiento que aprenderás durante el tema.

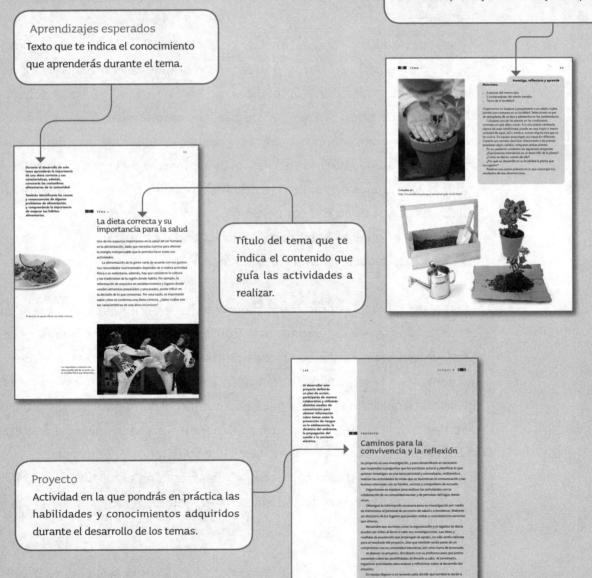

Título del tema que te indica el contenido que guía las actividades a realizar.

Proyecto
Actividad en la que pondrás en práctica las habilidades y conocimientos adquiridos durante el desarrollo de los temas.

Al final de cada bloque aparece una Evaluación y una Autoevaluación. En ellas valorarás qué has aprendido, reflexionarás sobre la utilidad de tu aprendizaje y acerca de los aspectos que necesitas mejorar.

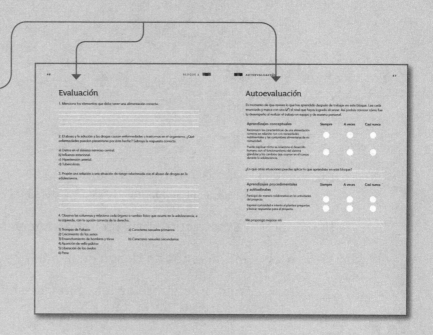

Además tu libro presenta las siguientes secciones:

Un dato interesante
Te presenta información adicional sobre el tema.

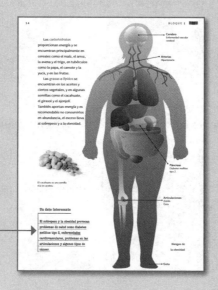

Consulta en…
Te proporciona la dirección de páginas electrónicas y datos de libros de la biblioteca escolar para que puedas ampliar tus conocimientos acerca del tema.

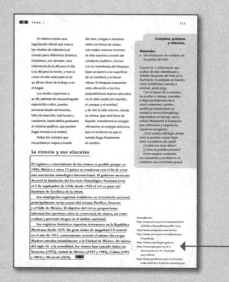

La ciencia y sus vínculos
Sección que vincula tu aprendizaje en torno a la ciencia con conocimientos de otras asignaturas.

Para complementar lo anterior, a lo largo del curso debes integrar:

Portafolio de ciencias. Carpeta para conservar los trabajos que realizarás a lo largo del bloque, de tal forma que te sirvan de material de apoyo para el diseño y presentación de tus proyectos.

Mi diccionario de ciencias. Así rotula un apartado de tu cuaderno, donde anotarás los significados y las palabras que desconozcas, te resulten interesantes o sean importantes para definir un tema.

Índice

¿Cómo mantener la salud?

ÁMBITOS:

- EL AMBIENTE Y LA SALUD

- LA VIDA

- EL CONOCIMIENTO CIENTÍFICO

Durante el desarrollo de este tema aprenderás la importancia de una dieta correcta y sus características, además, conocerás las costumbres alimentarias de tu comunidad.

También identificarás las causas y consecuencias de algunos problemas de alimentación, y comprenderás la importancia de mejorar tus hábitos alimentarios.

TEMA 1

La dieta correcta y su importancia para la salud

Uno de los aspectos importantes en la salud del ser humano es la alimentación, dado que necesita nutrirse para obtener la energía indispensable que le permita hacer todas sus actividades.

La alimentación de la gente varía de acuerdo con sus gustos. Sus necesidades nutrimentales dependen de si realiza actividad física o es sedentaria, además, hay que considerar la cultura y las tradiciones de la región donde habita. Por ejemplo, la información de anuncios en establecimientos y lugares donde venden alimentos y bebidas preparados y procesados, puede influir en la decisión de lo que consumas. Por esta razón, es importante saber cómo se conforma una dieta correcta. ¿Sabes cuáles son las características de una dieta correcta?

El ejercicio te ayuda a llevar una dieta correcta.

Los deportistas consumen una dieta equilibrada de acuerdo con la actividad física que desarrollan.

Observa, analiza y reflexiona.

Observa las dos imágenes que aparecen a la derecha y contesta:

¿Qué te sugiere cada imagen?
¿Qué diferencias encuentras entre una y otra?
¿Cuál es más atractiva para ti?
¿Cuál consideras que promueve la comida más nutritiva? ¿Por qué?
  Comparte tus respuestas con el grupo y discutan entre todos las razones de su elección.

En algunos casos la decisión acerca de qué alimentos y bebidas es preferible consumir, está influida por la publicidad que aparece en los medios de comunicación. ¿Consideras que la publicidad te ayuda a llevar una alimentación correcta? ¿Por qué?

El ser humano tiene como hábito alimentarse tres veces al día, en horarios establecidos que pueden variar según costumbres y tradiciones. En nuestra sociedad la costumbre es desayunar, comer y cenar. Sin embargo, a veces tomamos refrigerios y bebidas entre comidas. En ese caso, lo mejor es comer frutas, jugos naturales y cereales. Es importante evitar consumir aguas azucaradas, golosinas y frituras en cantidades excesivas porque causan sobrepeso y obesidad.

La acción por medio de la cual nos llevamos a la boca alimentos y bebidas que hemos escogido o preparado se llama alimentación. En cambio, la dieta es la variedad y cantidad de alimentos que consumimos cada día.

Por otra parte, la nutrición es el proceso por medio del cual el organismo obtiene de los alimentos y bebidas ingeridos los nutrimentos que necesita. Es un proceso complejo que se lleva a cabo en el sistema digestivo, donde los alimentos son reducidos hasta una forma simple que el organismo puede asimilar, utilizar y desechar con una adecuada hidratación.

Los nutrimentos son las sustancias básicas que el organismo necesita para su buen funcionamiento. Se clasifican en proteínas, carbohidratos, lípidos o grasas, vitaminas y minerales.

Las proteínas provienen de alimentos de origen animal, como la carne, los huevos, la leche y sus derivados, y de origen vegetal, como las leguminosas (frijol, soya, lenteja y garbanzo). El organismo las utiliza para formar y reparar tejidos.

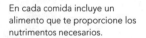

En cada comida incluye un alimento que te proporcione los nutrimentos necesarios.

Consulta en...
El chiste del bien comer en:
http://www.promocion.salud.gob.mx/dgps/
    interior1/promocionando_come_articulos_
    bien.html
Actividad física y ejercicio:
http://www.promocion.salud.gob.mx/dgps/
    interior1/promocionando_activate_articulos_
    fisica.html
Consejo Europeo de Información sobre la
    Alimentación [EUFIC]:
http://www.eufic.org/article/es/page/TARCHIVE/
    expid/10-consejos-para-alimentacion-infantil-sal
http://www.insp.mx/bajale/docs/talleres/dieta-grupos

Un dato interesante

La Encuesta Nacional de Salud y Nutrición (ENSANut) 2006 reveló que 39.5% de los mexicanos adultos tienen sobrepeso y 31.7% algún grado de obesidad. En la actualidad nuestro país ocupa el segundo lugar en el mundo de prevalencia de sobrepeso y obesidad, y el primero en obesidad infantil. Estos problemas de salud se pueden evitar con los siguientes hábitos:

- Establecer horarios para la alimentación.
- Aumentar el consumo de verduras y frutas.
- Disminuir el consumo de refrescos, jugos embotellados y frituras.
- Aumentar el consumo de bebidas que se recomiendan en la Jarra del Buen Beber.
- Realizar actividad física al menos 30 minutos cada día.

Los carbohidratos proporcionan energía y se encuentran principalmente en cereales como el maíz, el arroz, la avena y el trigo, en tubérculos como la papa, el camote y la yuca, y en las frutas.

Las grasas o lípidos se encuentran en los aceites y ciertos vegetales, y en algunas semillas como el cacahuate, el girasol y el ajonjolí. También aportan energía y es recomendable no consumirlos en abundancia, el exceso lleva al sobrepeso y a la obesidad.

El cacahuate es una semilla rica en aceites.

Un dato interesante

El sobrepeso y la obesidad provocan problemas de salud como diabetes mellitus tipo 2, enfermedades cardiovasculares, problemas en las articulaciones y algunos tipos de cáncer.

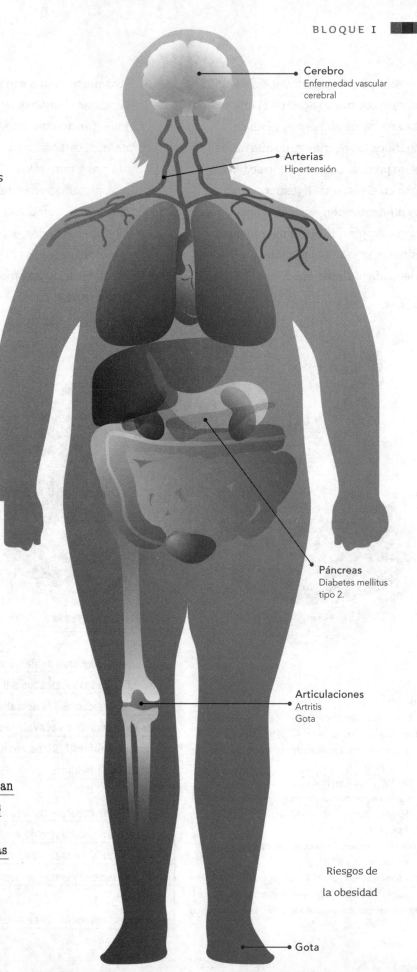

Cerebro
Enfermedad vascular cerebral

Arterias
Hipertensión

Páncreas
Diabetes mellitus tipo 2.

Articulaciones
Artritis
Gota

Riesgos de
la obesidad

Gota

La dieta correcta debe ser completa, equilibrada, variada, suficiente e inocua.

Las vitaminas y los minerales se encuentran en las verduras y frutas. Estos nutrimentos permiten mantener un crecimiento y desarrollo saludables, además de que ayudan a prevenir enfermedades.

Una dieta es correcta si cumple con determinadas características como completa, equilibrada, variada, suficiente e inocua. Para ser completa debe incluir alimentos de los tres grupos del Plato del Bien Comer; para que sea equilibrada, dichos alimentos deben estar en proporción adecuada. Recuerda que cada persona tiene hábitos alimenticios distintos por lo tanto debes combinar tus alimentos y bebidas sin tener periodos muy largos de ayuno. Por ejemplo en un día trata de aumentar tu consumo de verduras y frutas, combínalas con diferentes porciones de cereales como la tortilla de maíz, pan integral o bolillo, un huevo entero a la semana, arroz y frijoles, acompañados de leche descremada o de agua simple potable de acuerdo con las recomendaciones de la Jarra del Buen Beber para una adecuada hidratación.

Trata de combinar los alimentos de origen animal (de preferencia de pollo, pavo, pescado, atún y sardina en lugar de las carnes rojas y embutidos), con las leguminosas. Incluye al menos un alimento de cada grupo en cada una de las tres comidas del día.

REFRESCOS, AGUA DE SABOR	NIVEL 6	0 VASOS
JUGO 100% DE FRUTAS, LECHE ENTERA, BEBIDAS DEPORTIVAS O BEBIDAS ALCOHÓLICAS	NIVEL 5	0-1/2 VASOS
BEBIDAS NO CALÓRICAS CON EDULCORANTES ARTIFICIALES	NIVEL 4	0-2 VASOS
CAFÉ Y TÉ SIN AZÚCAR	NIVEL 3	0-4 VASOS
LECHE SEMI Y DESCREMADA Y BEBIDAS DE SOYA SIN AZÚCAR ADICIONADA	NIVEL 2	0-2 VASOS
AGUA POTABLE	NIVEL 1	6-8 VASOS

Jarra del Buen Beber.

La dieta también debe ser suficiente, es decir, que la cantidad de alimentos que consumimos debe aportar la cantidad de nutrimentos que necesita cada persona según su edad y el tipo de actividad que realiza.

La alimentación debe ser inocua; esto significa que no debe causarnos daño, que los alimentos y bebidas que consumimos no deben estar contaminados con microorganismos o materiales tóxicos.

Para consumir una dieta correcta es importante considerar los alimentos y bebidas que se producen en la comunidad y las costumbres para preparar platillos de la región; debes reducir el consumo de aquellos alimentos que contienen carbohidratos y grasas en exceso y complementarlos con verduras y frutas, así como una adecuada hidratación con agua simple potable.

Por estas razones es básico aprender a incluir los alimentos de los grupos del Plato del Bien Comer y bebidas de la Jarra del Buen Beber.

Recuerda que una dieta correcta ha de estar acompañada del consumo de agua simple potable, así como de las prácticas de higiene en la preparación y el consumo de los alimentos.

La comida regional es rica en el maíz, que es un cereal.

El sope es un platillo regional.

Un dato interesante

Sabías que un sope preparado en casa se elabora con los siguientes ingredientes y contiene en una proporción la cantidad adecuada de nutrimentos.

- 1 tortilla para sope
- 1 cucharadita de aceite para freír
- 1 cucharada de frijoles
- Media taza de pollo deshebrado
- Media taza de lechuga
- 1 cucharada de queso
- Salsa de jitomate al gusto

Acompáñalo con una bebida saludable.

La dieta correcta

Investiga, analiza y concluye.

Organicen equipos para realizar una entrevista al personal de centros de salud, hospitales o clínicas (médicos, enfermeras, trabajadores sociales, entre otros). En caso de no poder realizarla consulten la información en libros de las bibliotecas escolar y de aula, sitios de internet, revistas y periódicos, entre otros medios.

Averigüen cuáles son las características de una dieta correcta y por qué es importante el consumo de agua simple potable.

En plenaria, comparen la información que obtuvo cada equipo con los conocimientos que han adquirido acerca de este tema y establezcan conclusiones al respecto.

Plato del Bien Comer.

La leche materna contiene los nutrimentos que necesita un bebé para crecer sano.

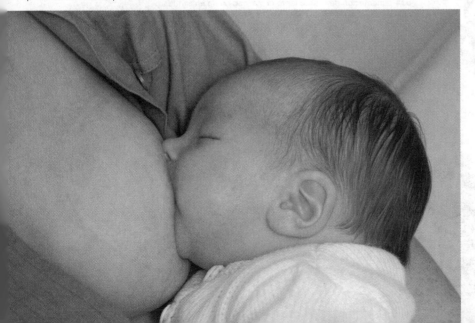

Un dato interesante

La leche materna es el único alimento que por sí solo cubre las necesidades alimentarias del bebé que la toma. Tiene una limitante: le sirve hasta los seis meses de edad, ya que cuando el niño crece cambian sus necesidades y la leche ya no es suficiente para abastecerlas.

La tradición

Investiga y ordena.

Con la ayuda de su profesor organicen equipos de trabajo para investigar cuáles son las tradiciones alimentarias de su región.

Recaben la información en un cuadro como el que se muestra a la derecha.

Indaguen también qué alimentos se cultivan o producen en su región y cuáles provienen de otros lugares.

Tradición	Bebidas	Alimentos relacionados (platillos)	Ingredientes utilizados

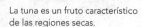
La tuna es un fruto característico de las regiones secas.

¿Nutritivo o no?

Selecciona, analiza y elabora.

Con la ayuda de su profesor organicen equipos y utilicen la información que obtuvieron en la actividad anterior para planear una comida correcta con esos alimentos y bebidas.

Entre equipos discutan qué pueden aportar los alimentos (platillos) o productos alimenticios de su localidad a una dieta correcta. En su discusión es importante tomar en cuenta los grupos de alimentos del Plato del Bien Comer y las características de la dieta correcta. Pueden incluir las siguientes consideraciones.

¿Los platillos típicos incluyen en su preparación alimentos de los tres grupos? Si algún platillo no los considerara, ¿qué se puede hacer para complementarlo? ¿Qué se consumen o producen en tu comunidad?

¿A qué grupos de alimentos pertenecen los alimentos y bebidas que se producen en tu comunidad?

Presenten sus propuestas en una cartulina o pliego grande de papel, que luego colocarán en su salón de clases, periódico mural u otro lugar visible en la escuela.

Una alimentación deficiente tanto en calidad como en cantidad puede provocar diferentes desórdenes de salud.

Los amigos

Analiza, interpreta y discute.

Observa la siguiente caricatura y reflexiona sobre su contenido.

¿Qué problema identificas en los personajes? ¿Es un problema relacionado con la alimentación? ¿Son correctos los planteamientos de Lulú, Ivonne y Enrique? ¿Qué información pudo haber influido en las decisiones tomadas por Enrique e Ivonne? ¿Qué consecuencias para la salud puede tener Lulú si no modifica sus hábitos? ¿Qué hábitos de alimentación provocan problemas de obesidad? Comenta tus respuestas con tus compañeros.

Tres amigos comentan entre sí acerca de su dieta.

Mi mamá me pone una ensalada para el recreo, pero cuando salgo de la escuela tengo mucha hambre, y al llegar a casa como todo lo que me sirven.

Pues yo en el recreo me como una rica torta de jamón y un jugo envasado.

Yo, casi siempre, desayuno una torta de tamal con un atole, en el recreo me compro una torta de jamón y un refresco. Si más tarde me da hambre, compro unos dulces o unas frituras.

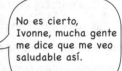

No es cierto, Ivonne, mucha gente me dice que me veo saludable así.

¡Qué bárbara, Lulú! ¿Te has puesto a pensar que eso daña tu salud?

Yo creo que debemos aprender a combinar los grupos de alimentos. A mí me gusta que los alimentos tengan diferentes colores, olores, sabores y consistencias, de acuerdo con la temporada del año.

Estás segura, en clase hemos aprendido otras cosas.

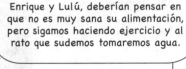

Pues yo siento una satisfacción al comer entre comidas.

Enrique y Lulú, deberían pensar en que no es muy sana su alimentación, pero sigamos haciendo ejercicio y al rato que sudemos tomaremos agua.

El sobrepeso y la obesidad son problemas causados por mala alimentación; consisten en la acumulación excesiva de grasa en el cuerpo. En algunos casos son consecuencia de enfermedades o de ciertos trastornos psicológicos. Por ejemplo, es el caso de las personas que intentan aliviar su nerviosismo comiendo en todo momento durante el día. Sin embargo, en la mayoría de las ocasiones estos trastornos se deben al consumo excesivo de alimentos industrializados.

Ésta es una de las causas que nos han convertido en una de las naciones con mayor número de personas obesas o con sobrepeso en el mundo. Más aún, el consumo de bebidas energéticas y de refrescos en lugar de agua simple potable y leche se ha incrementado de manera alarmante en nuestro país. Estos malos hábitos de alimentación también son la causa del sobrepeso y la obesidad a niveles que comprometen seriamente la salud pública.

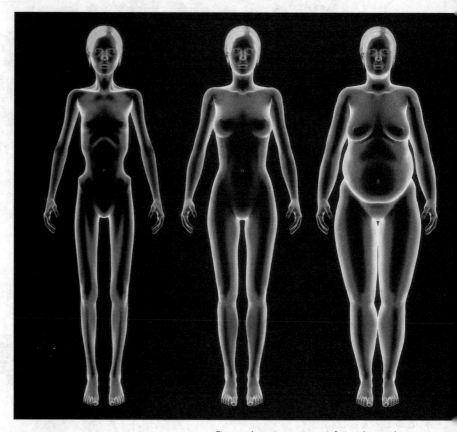

Figuras de mujer con peso inferior al normal (izquierda), normal (centro) y sobrepeso (derecha).

La obesidad es una enfermedad progresiva y crónica que sin atenderse oportunamente puede poner en riesgo la vida. Cuando se padece, acude cuanto antes, ya sea con el médico familiar o con personal de salud especializado en nutrición y psicología.

La obesidad no es exclusivamente un problema de apariencia física, sino una enfermedad que ocasiona otros trastornos de salud, tales como la diabetes mellitus tipo 2 y enfermedades cardiovasculares, males que a su vez afectan a diversos órganos del cuerpo, provocando muchas de las veces muerte prematura o invalidez.

Esta enfermedad se puede prevenir o solucionar si tomamos las medidas preventivas o de tratamiento oportunas y adecuadas. Entre ellas destaca, en primer lugar, una dieta correcta, como ya estudiamos antes, así como la actividad física, que debe realizarse por lo menos 30 minutos cada día.

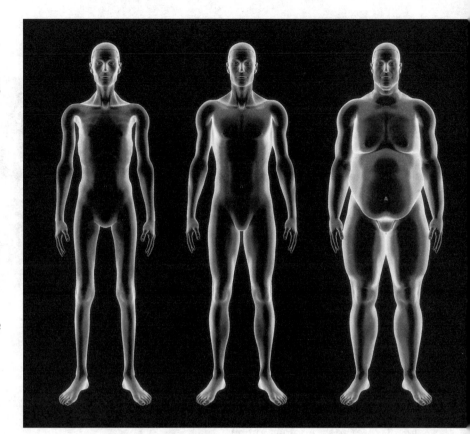

Figuras de hombres con peso inferior al normal (izquierda), normal (centro) y sobrepeso (derecha).

Los refrescos y las comidas con exceso de grasas ocasionan obesidad.

Consulta en...
http://www.pumitasfutbol.unam.mx/obesidad.html

Un dato interesante

En México, de acuerdo con la Encuesta Nacional de Salud y Nutrición (ENSANUT) 2006, la incidencia y prevalencia de la obesidad ha aumentado de forma alarmante y progresiva en los últimos 20 años. Las investigaciones realizadas de 1999 a 2006 indican que aumentó 77% en los niños y 47% en las niñas.

Prevalencia de obesidad en niños de 5 a 11 años en México

Obesidad en niños de 5 a 11	1999	2006	Incremento de 1999 a 2006
Prevalencia nacional en niños	5.3%	9.4%	77.0%
Prevalencia nacional en niñas	5.9%	8.7%	47.0%

Entre otros problemas de alimentación, además de la desnutrición, se encuentran los trastornos de la conducta alimentaria como la anorexia y la bulimia que pueden provocar severos daños a la salud y, en casos extremos, la muerte, si no son atendidos a tiempo.

La desnutrición se produce por una alimentación incorrecta, casi siempre por deficiencia en la cantidad o en la calidad de los alimentos consumidos. Generalmente se asocia con un peso bajo en relación con la estatura, aunque también existen personas con sobrepeso que padecen desnutrición.

La desnutrición vuelve a la gente poco resistente a las infecciones y hace que se recupere lentamente de enfermedades. Además, quien la padece se cansa con facilidad al

Andar en bicicleta es una actividad física completa.

realizar actividad física y se afecta su capacidad para aprender.

En otros casos se evita la ingestión de alimentos para impedir subir de peso, en una búsqueda continua de la delgadez, lo que lleva, en casos extremos, a comer casi nada. A este trastorno se le denomina anorexia nerviosa, se debe a una distorsión de la imagen corporal y es importante diferenciarla de la pérdida de apetito que acompaña a diversos padecimientos.

Otro trastorno alimentario es la bulimia, que consiste en comer en exceso y luego provocarse vómito o diarrea. Es una variante de la anorexia nerviosa y pretende los mismos resultados.

La adquisición de hábitos alimentarios correctos favorece la buena salud. Entre ellos puedes:

- Desayunar antes de asistir a la escuela.
- Evitar el consumo excesivo de alimentos industrializados, refrescos y frituras.
- Consumir bebidas recomendadas en la Jarra del Buen Beber como agua simple potable y leche, y alimentos de los grupos del Plato del Bien Comer.
- Realizar actividad física al menos 30 minutos diarios.

Además de constituir problemas de salud individual, los trastornos de la conducta alimentaria se han convertido en problemas de salud nacional. Las enfermedades que desencadenan tienen un costo individual porque disminuyen la calidad de vida de la persona, además de un costo social y económico muy alto, pues aparte de discapacitar a quienes las padecen, su tratamiento y control son costosos.

La grasa se acumula en el abdomen, tanto superficial como internamente. La grasa adherida a la zona interna se llama grasa visceral y rodea los órganos vitales. Esta grasa ha sido relacionada con enfermedades cardiovasculares, diabetes y otras condiciones peligrosas.

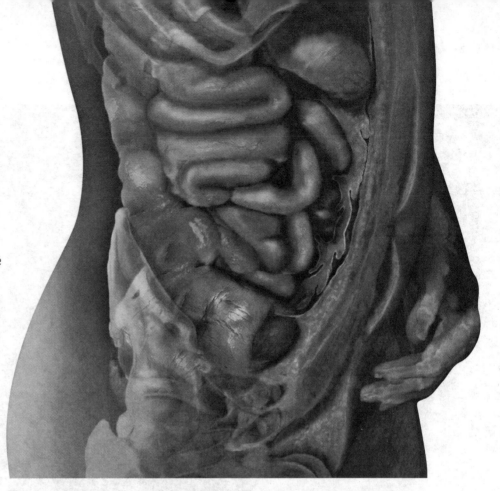

Ejercitarse con regularidad y llevar una dieta correcta y una adecuada hidratación son maneras de disminuir la cantidad de grasa abdominal.

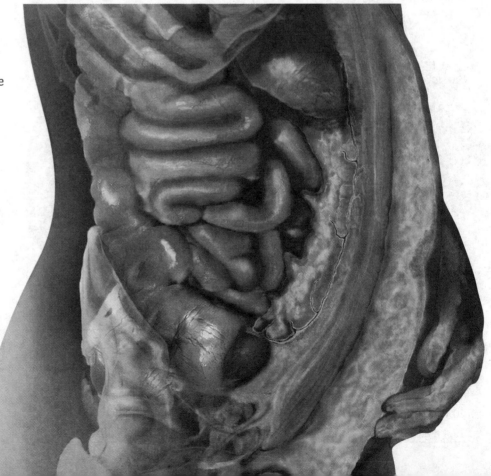

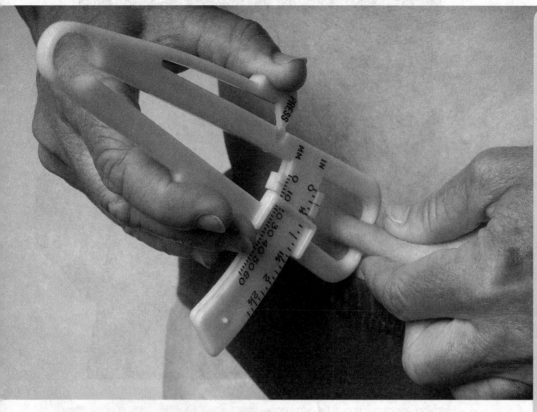

La grasa subcutánea se mide con un plicómetro.

Investiga, registra y analiza.

Materiales:
- Cinta métrica
- Báscula

Organícense en equipos de trabajo. Utilicen la cinta y la báscula para medirse y pesarse. Registren los datos. Cada uno determine si su peso es el adecuado o si tiene sobrepeso u obesidad; para ello dividan su peso (kilogramos) entre el cuadrado de su estatura (metros cuadrados). Al resultado se le llama índice de masa corporal (IMC). Por ejemplo, si tu peso es de 35 kg y tu estatura 1.35 m, se realiza el siguiente cálculo:

$35 \div (1.35)^2$, es decir: primero multiplicas 1.35 m x 1.35 m = 1.82 m^2, y divides 35 entre el resultado:
$35 \div 1.82 =$ **19.2**

Éste es el índice de masa corporal.

Compara el resultado de tu propio cálculo con los datos de la tabla de abajo. Si tu resultado corresponde a bajo peso, puede deberse a que tu alimentación es insuficiente en cantidad o le faltan algunos nutrimentos. Si corresponde a sobrepeso u obesidad, puedes estar comiendo en exceso o quizás ingieres demasiados carbohidratos y grasas. Otro factor importante puede ser la falta de ejercicio físico.

La grasa degenera el músculo del corazón y causa desórdenes cardiacos.

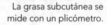

Arteria

Grasa acumulada

Índice de masa corporal (IMC), para niños y niñas de 11 a 13 años de edad

Niñas	Niños	Condición corporal
Menos de 14.1	Menos de 14.3	Desnutrición
14.1 a 17.5	14.3 a 17.2	Peso bajo
17.5 a 20.7	17.2 a 20.6	Peso normal
20.7 a 22.6	20.6 a 21.9	Sobrepeso
25.4 a 27.8	25.4 a 27.8	Obesidad

Investiga, analiza y propone.

Organizados en equipos busquen anuncios acerca de la situación de la desnutrición, obesidad, anorexia y bulimia en los niños y jóvenes mexicanos. Analicen la información para determinar cómo estos trastornos afectan la calidad de vida y autoestima de niños y jóvenes mexicanos, reflexionen y planteen sugerencias para solucionar el problema en la localidad, región o entidad donde habitan.

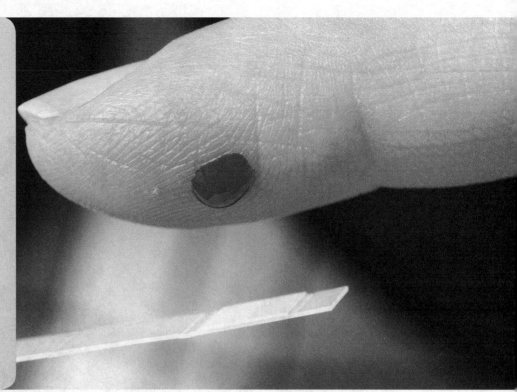

Prueba para conocer el nivel de glucosa en la sangre.

La ciencia y sus vínculos

Un estudio de sangre ayuda a conocer nuestro estado de nutrición. Por ejemplo, se puede saber si el contenido de hierro es suficiente o si la persona padece anemia, nombre del trastorno de salud originado por una carencia de este nutrimento.

También se puede determinar si los niveles de azúcar y grasas en la sangre son normales.

Un nivel elevado de azúcar indicaría una enfermedad llamada diabetes, en tanto que el contenido elevado de grasas en la sangre puede provocar presión sanguínea alta y posibles daños al corazón o al cerebro. ■■

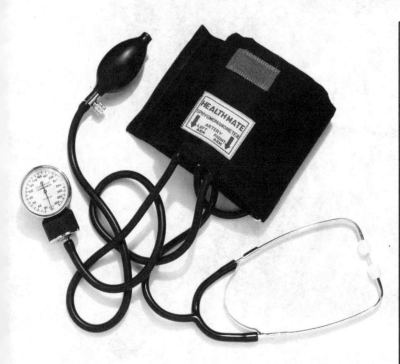

El baumanómetro y el estetoscopio se usan en la medición de la presión arterial.

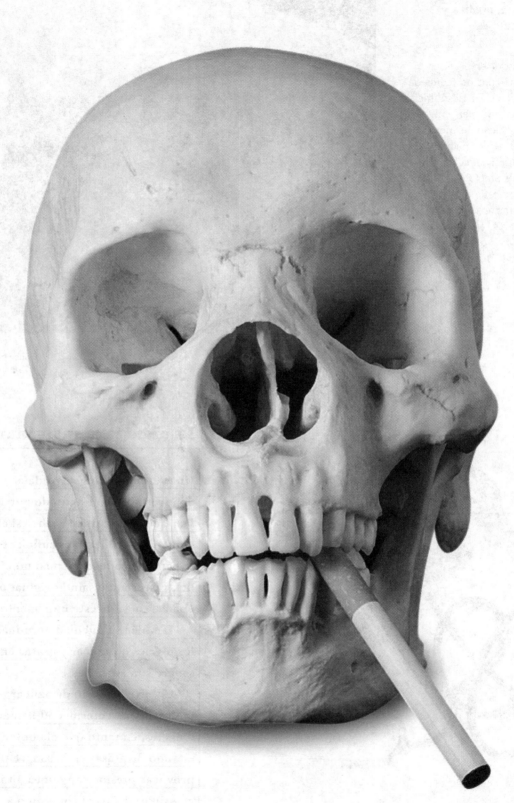

Fumar pone en grave riesgo tu vida.

Durante el desarrollo de este tema aprenderás cómo se ve afectado el sistema nervioso por algunas adicciones y valorarás acciones de prevención.

También identificarás posibles soluciones ante comportamientos que pueden afectar tu integridad y la de otras personas.

Situaciones de riesgo en la adolescencia

Todos estamos expuestos, en diversos momentos, a situaciones de riesgo. Una situación de riesgo involucra hechos o acciones que exponen a un sujeto a daños físicos o psicológicos. Cuando éstos ocurren, pueden resultar muy traumáticos para la persona.

Hay situaciones que parecen divertidas pero te ponen en riesgo.

Las situaciones de riesgo a las que podemos exponernos en la vida cotidiana incluyen, por ejemplo, correr en la calle sin cuidado, especialmente en lugares abiertos al tránsito de automóviles; jugar en la cocina mientras se preparan los alimentos; hacer mal uso de herramientas como cuchillos o tijeras; aceptar un cigarro, una bebida alcohólica o una sustancia desconocida o dañina. También constituye un riesgo exponerse a situaciones violentas.

Otras situaciones de riesgo que no podemos prevenir, pero de las que necesitamos saber protegernos, son los desastres como sismos, huracanes o inundaciones.

¿Cómo puedes prevenir las diversas situaciones de riesgo? ¿Qué consecuencias pueden tener para tu integridad si no estás preparado? ¿Qué partes de tu cuerpo se pueden afectar si no tomas las medidas adecuadas?

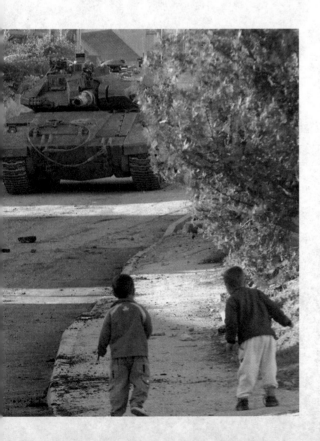

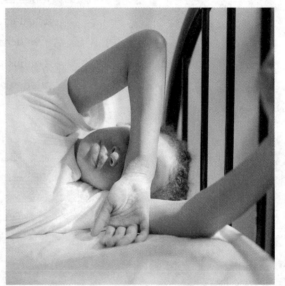

En la adolescencia se presentan muchas situaciones que pueden afectar la integridad personal de los jóvenes.

Existen sustancias que cuando se consumen producen lesiones en el sistema nervioso. Por ello es importante proteger el cuerpo ante cualquier situación de riesgo que involucre dichas sustancias. Los órganos no sólo pueden ser dañados por golpes, traumatismos y lesiones, sino por el consumo de sustancias tóxicas, fundamentalmente el tabaco y el alcohol. Cuando uno de los órganos se daña, no sólo puede dejar de funcionar correctamente, sino que su mal funcionamiento afectará a todo el sistema al que pertenece y, por ello, a la larga todo el organismo se verá perjudicado.

Existe una larga lista de enfermedades asociadas con el consumo del tabaco y el alcohol.

Existe un alto riesgo de que el desarrollo biológico, psicológico y social de la persona se vea truncado al consumir sustancias tóxicas.

La publicidad

Recopila, analiza y compara.

Materiales:
- Revistas o periódicos donde aparezcan: anuncios de publicidad de bebidas alcohólicas y cigarros, anuncios de prevención de adicciones
- Cartulina
- Tijeras
- Pegamento
- Marcadores de colores

Organícense en equipos y dividan el grupo en dos secciones. Una se formará con los equipos que analizarán los anuncios que estimulen el consumo de alcohol y tabaco; la otra mitad analizará la publicidad sobre prevención de adicciones.

Cada equipo analizará también comerciales televisados y radiofónicos, así como los impresos y los que se pueden ver en las calles y los medios de transporte colectivo. El análisis debe incluir datos acerca de dónde se exhiben, a quiénes van dirigidos y cómo pueden influir en las decisiones de consumo de la comunidad.

Peguen sobre las cartulinas los anuncios impresos que puedan obtener y escriban el análisis solicitado. Luego realicen una exposición ante el grupo para mostrar sus resultados. Por último, elaboren una conclusión acerca de la influencia de la publicidad en el consumo de alcohol y tabaco.

Consecuencias médicas y sociales del abuso en el consumo de alcohol y tabaco	
Fallas de órganos	**Violencia y daños relacionados con el alcohol**
• Corazón • Hígado • Riñones • Estómago • Páncreas • Ojos • Pulmones	• Abuso infantil • Violencia intrafamiliar • Otros actos violentos • Conducta suicida • Daños cerebrales • Amnesia y demencia • Impotencia sexual • Riesgo de homicidio
Enfermedades:	**Defectos o problemas de nacimiento:**

• Cáncer
• Enfermedades hepáticas (hígado)
• Enfermedades cardiovasculares (corazón)
• Enfisema (pulmones)
• Bronquitis
	• Retardo mental
	• Síndrome de alcoholismo fetal:
	  Crecimiento retardado
	  Deformidad facial
	• Síndrome de muerte súbita infantil
	• Aborto

Fuente: *Manual para profesores de secundaria: orientaciones para la prevención de adicciones en escuelas de educación básica*, Programa Nacional Escuela Segura-SEP-SS, México, 2008, p. 53.

Algunos tipos de cáncer, por ejemplo, son más frecuentes entre las personas que fuman, y quienes consumen alcohol son más propensos a las enfermedades del hígado.

Existen algunas personas más sensibles que otras a los efectos de estas sustancias, por lo cual, aun cuando consuman pequeñas cantidades de ellas, su organismo sufre graves daños.

Padecimientos por consumo de alcohol y tabaco

Cerebro

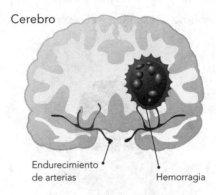

Endurecimiento de arterias

Hemorragia

Hígado

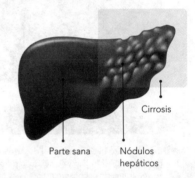

Cirrosis

Parte sana

Nódulos hepáticos

Pulmones

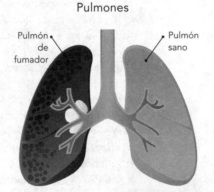

Pulmón de fumador

Pulmón sano

Estómago

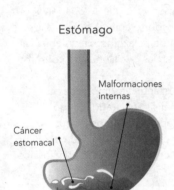

Malformaciones internas

Cáncer estomacal

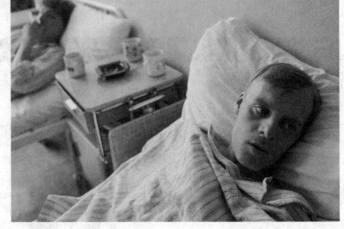

Paciente en terapia de desintoxicación.

La ciencia y sus vínculos

Se ha identificado que el hígado efectúa más de 500 funciones en el organismo, ya que interviene prácticamente en todos los procesos químicos. Algunas de estas funciones son:

- La limpieza de la sangre de drogas y otras sustancias tóxicas.
- La regulación de la coagulación sanguínea.
- La resistencia a las infecciones mediante la producción de factores de defensa y la eliminación de bacterias presentes en la sangre.

Por lo anterior las lesiones hepáticas tarde o temprano repercuten en el funcionamiento de todo el cuerpo.

Consulta en...

http://www.e-mujeres.gob.mx/wb2/ eMex/eMex_Alcoholismo_Encuesta_ Nacional_de_Adicciones

http://www.conadic.gob.mx

http://www.conadic.salud.gob.mx

http://www.salud.gob.mx/unidades/cdi/ documentos/cdm.htm

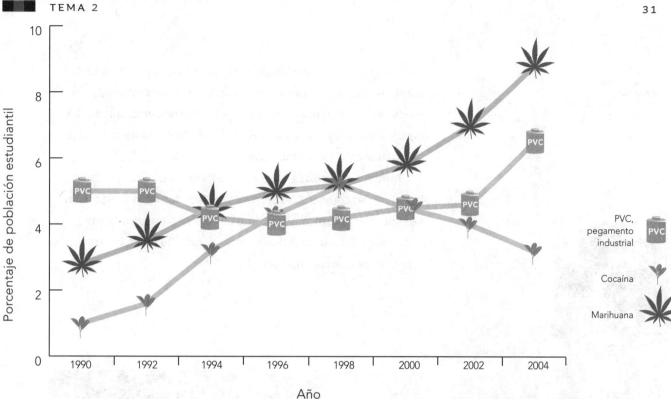

Uno de los factores que influyen en el daño que ocasiona el consumo de estas sustancias es la edad. El daño es mayor entre los niños y los jóvenes, pues sus cuerpos aún están en desarrollo.

Otro problema de salud que estas sustancias provocan es la adicción y dependencia. De acuerdo con el Modelo Integral de Prevención de Adicciones promovido por la Secretaría de Salud, los niveles de adicción al consumo de drogas son:

1. *No consumo.*
2. *Uso experimental.* Uso mínimo de sustancias psicoactivas, asociado con actividades recreativas y limitado al consumo de tabaco, alcohol o una sola droga.
3. *Abuso temprano.* Consumo de más de una droga, mayor frecuencia, aparición de consecuencias negativas.
4. *Abuso.* Uso frecuente y regular de una droga durante un periodo extenso, mayor número de problemas.
5. *Dependencia.* Uso regular y continuo, tolerancia y búsqueda obsesiva de actividades asociadas al consumo.
6. *Recuperación.* Regreso a la abstinencia; posibilidad de recaídas.

La gráfica

Observa, analiza y discute.

Con la dirección de su profesor, observen detenidamente en grupo la gráfica, luego reflexionen sobre las siguientes preguntas:
¿Cuál sustancia se consumió más en el año 2004? ¿Qué pasó con el consumo de cocaína entre 1998 y 2004? ¿De cuál sustancia aumentó más el consumo a partir de 1998? ¿Qué sustancia se consumió menos en 2004 que en 1998?
En equipos y con base en la información analizada, reflexionen sobre los factores que inciden en el consumo de drogas. Coméntenlo con el resto del grupo y lleguen a una conclusión general.

Un dato interesante

Según la Organización Mundial de la Salud (OMS), en el mundo mueren diariamente alrededor de 14 mil personas por causa del tabaco, más de las que fallecen por cualquier otro agente.

Consulta en...
México sano, año 3, núm. 14, 2010, en: www.salud.gob.mx.

Algunas sustancias para fines industriales (pegamento y aguarrás) se consumen con fines adictivos.

Además de las sustancias mencionadas, hay otras que están limitadas a la prescripción de los médicos (como algunos medicamentos para el dolor o para trastornos emocionales), y algunas más cuyo consumo está prohibido de manera absoluta como la cocaína y la marihuana.

También son tóxicas algunas sustancias que se utilizan en la industria, como los disolventes empleados en la fabricación de pinturas y barnices, así como ciertos pegamentos. Esas sustancias causan adicción y dependencia, lo que a la larga provoca trastornos en la salud.

Un dato interesante

Las complicaciones por el consumo de drogas incluyen depresión, infecciones del corazón, coágulos en venas y pulmones, desnutrición, infecciones respiratorias, aumento en la frecuencia de cáncer pulmonar, faríngeo, de boca, de estómago, problemas de memoria y concentración. También se corre el riesgo de contagio de hepatitis o VIH-SIDA cuando los consumidores comparten jeringas con las que se administran las drogas.

No solamente situaciones como la adicción y dependencia de sustancias son factores de riesgo para tu salud; existen otras más que pueden poner en peligro tu vida, como verás en la siguiente actividad.

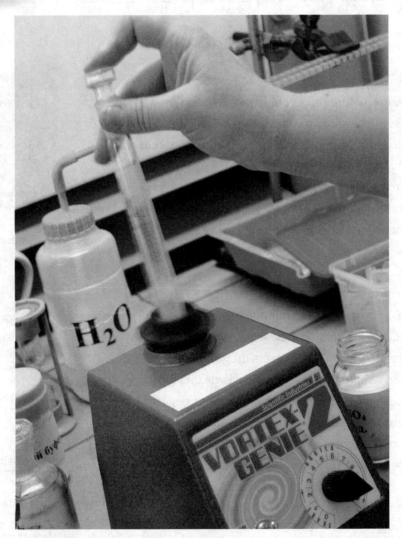

La tecnología proporciona métodos para determinar si una persona consume drogas.

¿Te atreves o no?

Analiza y reflexiona.

Lee el siguiente texto y contesta las preguntas.

Pepe y Luis se platican mutuamente sus hazañas. Ambos presumen de tener grandes habilidades, así que se retan para saber quién es el más hábil.

Pepe, que es el mayor, tiene más estatura y corpulencia, así que cuando se proponen subir a un árbol consigue escalar rápidamente un par de metros. Pero ser más pequeño y menos corpulento le permite a Luis escalar por entre las ramas. Y así ambos se enfrascan en una competencia por seguir adelante.

Cuando uno y otro avanzan por una de las ramas menos gruesas, ésta no soporta el peso y se rompe bruscamente. Los dos se precipitan al suelo. Pepe se golpea muy fuerte la cabeza, mientras Luis cae de espalda. Ambos se han lesionado seriamente, por lo que deben llevarlos de urgencia a un hospital.

Se teme por la vida de Pepe pues se ha fracturado el cráneo. Luis tiene fracturada la columna vertebral y es probable que no pueda volver a caminar.

Reflexiona sobre lo siguiente: ¿es necesario correr riesgos para demostrar superioridad ante los demás? ¿Qué habría sucedido si Pepe y Luis se retan a ser mejores en un deporte? ¿Cuán importante es ganar en una competencia así entre amigos? ¿Crees que es necesario aceptar cualquier reto? ¿Qué retos consideras que debes aceptar? Contesta las preguntas y, en plenaria, reflexiona acerca de situaciones problemáticas relacionadas con el hostigamiento que hacen algunos compañeros a otros para inducirlos a realizar acciones para demostrar valor o para "saber qué se siente". Entre todos, elaboren una conclusión acerca de cómo contrarrestar este tipo de situaciones.

Cuando algunos compañeros te proponen retos que implican riesgos, aceptar puede provocar situaciones dañinas para tu vida. En ocasiones, estas actitudes están relacionadas con el uso y efecto de alcohol o drogas. Es importante estar atento para detectar que estas actitudes no tengan que ver con efectos de dichas sustancias.

Aceptar desafíos propuestos por compañeros puede traer consecuencias que dejen daños físicos, lesiones permanentes o incluso la muerte.

Durante el desarrollo de este tema aprenderás que el desarrollo humano se relaciona con el funcionamiento del sistema glandular.

También identificarás los cambios del cuerpo durante la adolescencia y las acciones básicas que promueven la salud sexual.

TEMA 3

Funcionamiento de los aparatos sexuales y el sistema glandular

Desde que nacen los seres humanos se diferencian físicamente en hombres y mujeres, por sus órganos sexuales externos.

Desde el nacimiento, la mujer posee ovarios, útero, vagina, vulva y glándulas mamarias, mientras que el hombre tiene pene y testículos. Estos órganos definen los caracteres sexuales primarios.

Aunque físicamente hombres y mujeres son distintos, sus capacidades intelectuales y creativas son iguales.

Recuerda y aplica.

¿Cuáles son las diferencias entre los
órganos de la niña y los del niño?
Escribe la respuesta en tu cuaderno.

Durante la adolescencia se
producen cambios en el cuerpo y
comportamiento, específicamente en
la etapa llamada pubertad. Algunos
cambios son evidentes y otros no se
pueden apreciar a simple vista.

¿Cuáles son estos cambios?
¿Cuáles ocurren a los hombres y
cuáles a las mujeres? ¿Son visibles o
no? ¿Cómo empieza a manifestarse
este proceso en el organismo? Para
profundizar en este tema, realiza en
equipo la siguiente actividad.

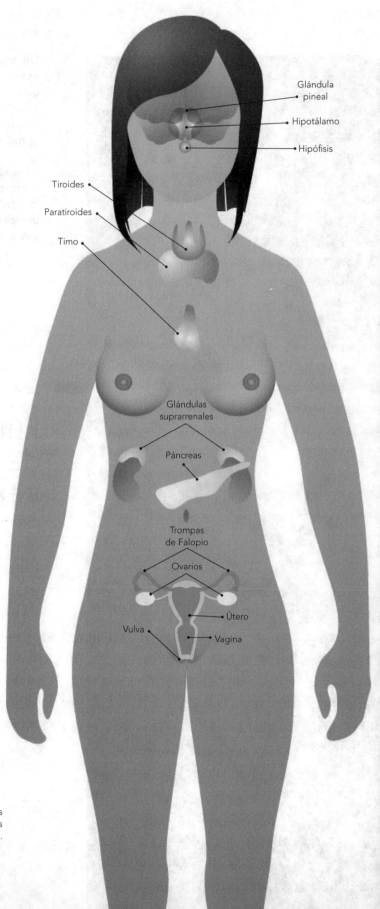

La aparición de los caracteres sexuales
secundarios en los hombres y las mujeres es
regulada por el sistema glandular o endocrino.

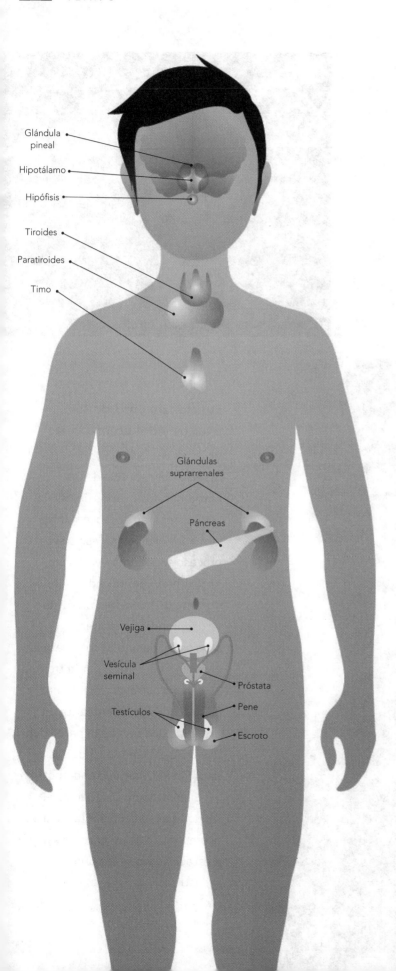

Glándula
pineal

Hipotálamo

Hipófisis

Tiroides

Paratiroides

Timo

Glándulas
suprarrenales

Páncreas

Vejiga

Vesícula
seminal

Próstata

Testículos

Pene

Escroto

Elabora y explica.

En equipo realicen modelos de los órganos
internos y externos tanto de hombres como
de mujeres; pueden hacerlos con plastilina,
barro, cera u otro material del que dispongan.

Después hagan una exposición en la
que muestren la estructura de cada órgano.
Escriban en el pizarrón la conclusión a la que
lleguen.

Relación del sistema glandular con los aparatos sexuales: maduración sexual

La maduración sexual es una etapa del
desarrollo que se caracteriza por una
serie de cambios físicos, intelectuales y
emocionales. Comienza aproximadamente
entre los 10 y 14 años de edad, cuando se
deja la niñez para pasar a la pubertad.
En algunos casos estos cambios pueden
iniciarse un poco antes o después de
estas edades, ya que cada quien tiene un
desarrollo diferente. Por eso, no debes
preocuparte si no te ocurren al mismo
tiempo que a otros jóvenes de tu edad.

Este proceso comienza a partir de
la señal que la glándula hipófisis envía
por medio de unas sustancias llamadas
hormonas, que regulan todas las funciones
del cuerpo humano y son producidas por
el sistema glandular o endocrino. Las
hormonas estimulan tanto a testículos
como a ovarios, lo que hace que éstos
inicien una serie de cambios en el cuerpo
de hombres y mujeres, respectivamente.

Los cambios físicos que aparecen en la pubertad se conocen como caracteres sexuales secundarios.

Los caracteres sexuales secundarios en la mujer son:

- Crecimiento de vello en el pubis y las axilas.
- Desarrollo de las glándulas mamarias.
- Aumento de grasa en cadera, piernas y busto.
- Inicio de la menstruación.

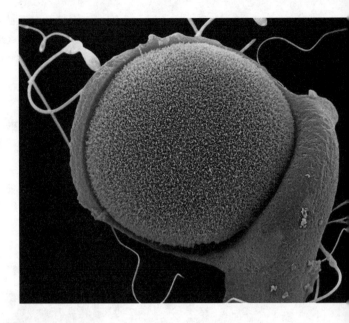

Óvulo rodeado de espermatozoides.

Funcionamiento de los ovarios y del útero

Al recibir el estímulo de las hormonas, los ovarios liberan las células reproductoras femeninas, llamadas óvulos; por eso a este proceso se le llama ovulación. Aproximadamente cada mes, durante la ovulación, un óvulo se desprende, de manera alternada, de uno de los ovarios. El óvulo se desplaza por la trompa de Falopio correspondiente hasta el útero, donde se implanta en un tejido que reviste la pared del útero y que tiene muchos vasos sanguíneos, llamado endometrio.

Si el óvulo no se fecunda, el tejido es expulsado por la vagina, acompañado de un poco de sangre; a este desecho se le nombra menstruación.

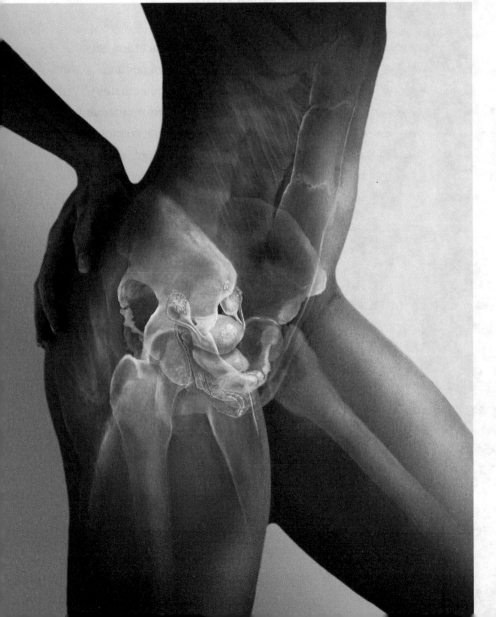

Aparato sexual de la mujer.

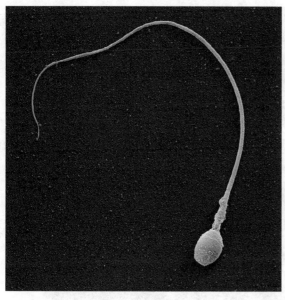

Espermatozoide.

En el hombre los caracteres secundarios son:

- Crecimiento de vello en el pubis y las axilas.
- Aumento de estatura.
- Desarrollo de barba y bigote.
- La voz se vuelve más grave.
- Aumento de grasa en la piel.
- Ensanchamiento de hombros y tórax.
- Inicio de la eyaculación.

Aparato sexual del hombre.

Este proceso cíclico y regular tiene una duración de más o menos 28 días y se denomina ciclo menstrual.

En algunas mujeres la menstruación puede presentarse con un poco de dolor o cólico.

Los días del ciclo menstrual de la ovulación se conocen como días fértiles, son los días en los que el embarazo se puede llevar a cabo. Observa la imagen siguiente.

Ciclo menstrual

Días de ovulación

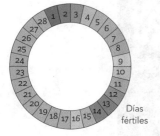

Días fértiles

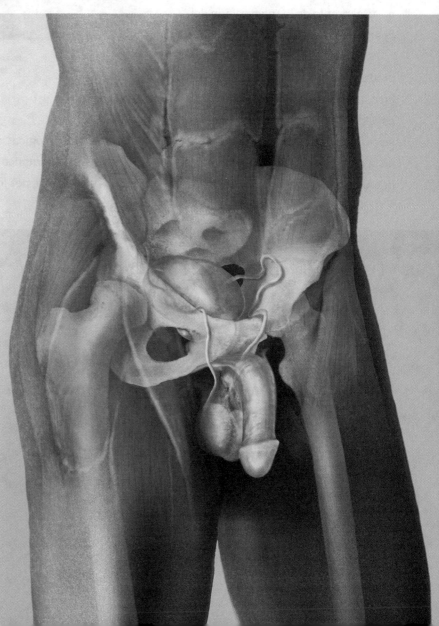

Durante la menstruación las mujeres siguen con sus actividades cotidianas de manera normal, pero la limpieza de los genitales y el baño diario son indispensables.

En la adolescencia los testículos inician la producción de espermatozoides. A lo largo de su vida, el hombre produce miles de millones de ellos.

Con la maduración del aparato sexual masculino se producen eyaculaciones de un líquido espeso llamado semen, que contiene los espermatozoides.

Los adolescentes pueden tener lo que se conoce como sueños húmedos, que son eyaculaciones que ocurren mientras duermen. Éste es un hecho natural propio de la maduración del aparato sexual masculino.

Recuerda que una vez iniciada la producción de espermatozoides, estás en condiciones de fecundar un óvulo, es decir, de provocar que una mujer se embarace. Aunque en esta etapa de la adolescencia tanto el cuerpo de la mujer como el del hombre están en

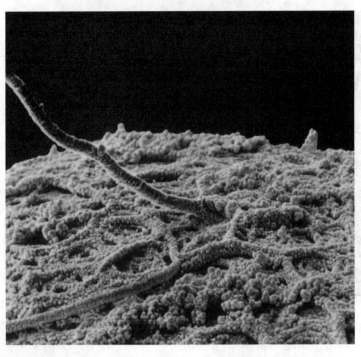

Los espermatozoides son las células sexuales masculinas, se producen en los testículos y son responsables de la fecundación del óvulo, la célula sexual femenina.

condiciones biológicas de procrear un hijo, el embarazo en la adolescencia implica riesgos físicos tanto para la madre como para el feto, por lo que es importante evitarlo.

La hipófisis produce endorfinas.

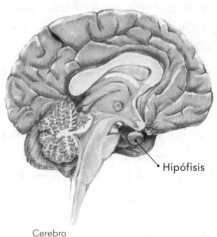

Hipófisis

Cerebro

Un dato interesante

La hipófisis, glándula situada en la base del cerebro, produce endorfinas, entre otras sustancias. Éstas desempeñan la función primaria de bloquear el dolor o disminuirlo, ya sea éste físico como en el caso de una lesión, o emocional como en el caso de la tristeza. Sin embargo, el bloqueo del dolor no es la única acción de estas sustancias, también producen una sensación placentera de armonía y bienestar. El ejercicio físico, la risa, un rato de esparcimiento sano con los amigos o escuchar la música que nos gusta son algunas de las actividades que también provocan la secreción de endorfinas.

¡Estudiar o hacer la tarea con gusto también provoca la secreción de endorfinas!

Una vez que empiezan a aparecer en el cuerpo los cambios propios de la adolescencia, es importante que se lleven a cabo ciertas medidas de higiene y protección encaminadas a mantener la salud sexual. Los órganos sexuales necesitan limpieza y cuidado para evitar infecciones y prevenir enfermedades.

Es muy importante que conozcas y protejas tu cuerpo para que funcione bien. Tanto los hombres como las mujeres requieren desarrollar hábitos de limpieza para mantener saludables sus cuerpos.

En el caso de las mujeres, algunas de estas medidas son:

- Lavar cuidadosamente la vulva con agua y jabón.
- Para limpiarse después de ir al baño, pasar el papel higiénico de adelante hacia atrás, ya que si se hace en sentido contrario es posible arrastrar restos de materia fecal del ano a la vulva, lo que puede convertirse en fuente de infecciones urinarias.
- Durante la menstruación usar y cambiar tan frecuentemente como sea necesario toallas femeninas o paños de tela de algodón que absorban la sangre.
- En caso de notar suspensión anormal del flujo menstrual o un aumento de éste, es necesario acudir a un médico, ya que es indicio de que hay problemas de salud.
- Evitar golpes en los genitales.
- Usar ropa interior cómoda, de preferencia de algodón.

La limpieza te ayuda a evitar infecciones y prevenir enfermedades.

Jabón, papel higiénico y toallas femeninas, son algunos artículos de limpieza.

Los hombres requieren:

- Bañarse diariamente con agua y jabón.
- Limpiar con cuidado el pene, jalando el prepucio hacia atrás y lavando el glande, que es una zona donde se depositan microorganismos que pueden producir infecciones.
- Consultar con un médico si aparece cualquier secreción extraña.
- Evitar golpes en los genitales.
- Usar ropa interior cómoda, preferentemente de algodón.

Comenta con tus padres acerca de la higiene de los órganos sexuales. Si tienes más dudas, recurre a un médico.

Debes bañarte diario con agua y jabón.

La convivencia entre iguales

Investiga, explica e interpreta.

Formen equipos para comentar e investigar formas que modifican las relaciones entre hombres y mujeres cuando empiezan a notar cambios en sus cuerpos y en su comportamiento. Incluyan investigaciones sobre los derechos y obligaciones de los adolescentes en nuestro país.

Lleguen a una conclusión acerca de si las diferencias biológicas de hombres y mujeres pueden ser una justificación para que algunas personas consideren inferiores a otras de diferente sexo.

Escriban en el pizarrón la conclusión a la que lleguen y cópienla en su cuaderno, es importante tomarla en cuenta en todo momento.

Con la información que obtengan, elaboren carteles, compárenlos con los de sus compañeros y luego compartan la información con la comunidad escolar; finalmente peguen los carteles en un lugar visible.

Aunque físicamente hombres y mujeres son distintos, sus capacidades intelectuales y creativas son iguales, así que tienen derecho de ser respetados y escuchados, en igualdad de oportunidades y responsabilidad al tomar decisiones. Así como:

Igualdad en:
- asistir a la escuela.
- opinar dentro de un grupo social.
- participar en concursos de cualquier tipo: deportes, oratoria, canto, etcétera.
- relacionarse entre amigos.
- asistir a los mismos lugares públicos.
- prepararse laboralmente.
- tener las mismas oportunidades en algún programa público.
- Igualdad en tener los mismos tratos.
- expresar sus inquietudes hacia la escuela.
- intercambiar roles.
- Igualdad en el trato con las autoridades.

Al desarrollar este proyecto aplicarás tus conocimientos relacionados con la dieta correcta y la sexualidad, para promover la salud.

También indagarás, obtendrás y seleccionarás información para argumentar acerca de posibles soluciones de los problemas identificados, y comunicarás los resultados de tu trabajo de investigación a la comunidad escolar utilizando diversos medios.

PROYECTO

Acciones para promover la salud

A lo largo de este proyecto aplicarás tus conocimientos sobre la alimentación correcta y la sexualidad. Obtendrás y seleccionarás información que sea útil para proponer posibles soluciones a problemas que identifiques. Por último, comunicarás los resultados obtenidos a tu comunidad educativa o a las personas del lugar donde vives.

Planeación

Para llevar a cabo el proyecto te sugerimos que en plenaria, en el salón de clases y con la ayuda de tu profesor, realicen una lluvia de ideas para hacer planteamientos que orienten la elaboración de su proyecto.

La siguiente serie de preguntas puede guiarte para determinar lo que vas a investigar:

- ¿Qué problema me interesa investigar?
- ¿Para qué lo voy a hacer?
- ¿Qué resultados pienso obtener o qué pienso encontrar o probar?
- ¿Qué procedimiento voy a seguir?
- ¿Con qué recursos materiales lo realizaré y cómo los voy a conseguir?
- ¿Cuándo iniciaré mi proyecto?
- ¿En cuánto tiempo lo desarrollaré?
- ¿En dónde lo voy a llevar a cabo?
- ¿Quiénes serán los responsables de cada actividad?
- ¿Dónde voy a registrar y exponer los resultados?

Recuerda que la planeación proyecto puede estar orientada a responder preguntas como las siguientes:

- ¿Qué podemos hacer para elaborar un recetario de cocina regional, con platillos nutritivos que se puedan incorporar en una dieta correcta?
- ¿Cómo podemos mejorar la alimentación que tenemos en la cooperativa, tienda o comedor escolar?
- ¿Qué medidas en cuanto a alimentación y actividades físicas se pueden tomar para tener un correcto índice de masa corporal (IMC)?
- ¿Cómo podemos difundir información sobre salud sexual en la comunidad escolar?

Desarrollo

Organicen equipos de trabajo para desarrollar su proyecto.

Con base en la pregunta de investigación, busquen y luego seleccionen, anoten y analicen la información recabada, para darle respuesta. Pueden consultar también programas de alimentación y nutrición, de actividad física o de educación sexual que realice el gobierno municipal, estatal o federal, para conocer qué acciones dirigidas a la población se llevan a cabo para promover su salud.

Integren la información recabada en cuadros, tablas, carteles o láminas.

Comunicación

Tal como lo hicieron con el desarrollo del proyecto, decidan cómo darán a conocer sus resultados. Con la información obtenida monten una muestra gastronómica con degustación de platillos típicos regionales, una obra de teatro, un sociodrama u otra actividad que ustedes seleccionen.

Evaluación

Al realizar este ejercicio podrás conocer tu desempeño en el trabajo en equipo. Es importante que reflexiones al respecto para mejorar cada vez más.

	Sí	No	A veces	Qué puedo hacer para mejorar
Identifiqué situaciones problemáticas o preguntas para desarrollar mi proyecto.	⚪	⚪	⚪	_____
Elegí información confiable de diversas fuentes para mi proyecto, a fin de poder reflexionar.	⚪	⚪	⚪	_____
Compartí con los miembros de mi equipo y escuché sus propuestas.	⚪	⚪	⚪	_____

Evaluación

1. Menciona los elementos que debe tener una alimentación correcta.

_____
_____
_____
_____

2. El abuso y la adicción a las drogas causan enfermedades o trastornos en el organismo. ¿Qué enfermedades pueden presentarse por este hecho? Subraya la respuesta correcta.

a) Daños en el sistema nervioso central.
b) Influenza estacional.
c) Hipertensión arterial.
d) Tuberculosis.

3. Propón una solución a una situación de riesgo relacionada con el abuso de drogas en la adolescencia.

_____
_____
_____
_____
_____

4. Clasifica las características sexuales en el siguiente cuadro.

	Caracteres sexuales primarios	Caracteres sexuales secundarios
Trompas de Falopio		
Crecimiento de los senos		
Ensanchamiento de hombros y tórax		
Aparición de vello púbico		
Liberación de los óvulos		
Pene		

Autoevaluación

Es momento de que revises lo que has aprendido después de trabajar en este bloque. Lee cada enunciado y marca con una (✓) el nivel que hayas logrado alcanzar. Así podrás conocer cómo fue tu desempeño al realizar el trabajo en equipo y de manera personal.

	Siempre	A veces	Casi nunca
Reconozco las características de una alimentación correcta en relación con mis necesidades nutrimentales y las costumbres alimentarias de mi comunidad.	○	○	○
Puedo explicar cómo se relaciona el desarrollo humano con el funcionamiento del sistema glandular y los cambios que ocurren en el cuerpo durante la adolescencia.	○	○	○

¿En qué otras situaciones puedes aplicar lo que aprendiste en este bloque? _____
_____

	Siempre	A veces	Casi nunca
Participé de manera colaborativa en las actividades del proyecto.	○	○	○
Expresé curiosidad e interés al plantear preguntas y buscar respuestas para el proyecto.	○	○	○

Me propongo mejorar en: _____
_____

¿Cómo somos los seres vivos?

ÁMBITOS:

- LA VIDA

- EL AMBIENTE Y LA SALUD

- EL CONOCIMIENTO CIENTÍFICO

Escultura en el Jardín
del Inglés, Xilitla,
San Luis Potosí.

Durante el desarrollo de este tema reconocerás que las distintas formas de interacción en que los seres vivos se relacionan, se nutren y se reproducen definen su diversidad.

También explicarás la interdependencia de los seres vivos en la dinámica de un ecosistema.

Paisaje con nopal y zacate. Guanajuato.

TEMA 1

La diversidad de seres vivos y sus interacciones

Basta con que te asomes fuera del salón para que te des cuenta de la cantidad de seres vivos que existen.

¿Sabes cómo se le llama a la gran variedad de organismos que existen en la Naturaleza?

Coméntalo con los integrantes de tu equipo y escríbanlo en sus cuadernos.

A la variedad de seres vivos que se encuentran en la Tierra se le llama biodiversidad o diversidad biológica. Son tan diversos y tantos estos organismos que, para comprenderlos mejor, se han clasificado en cinco grandes grupos llamados reinos. Las bacterias, como las que producen el yogur, son las representantes del reino monera. Las amibas son un ejemplo del reino protista. Las setas son parte del reino fungi (hongos). Los últimos dos reinos son el vegetal y el animal.

En algunas zonas existen muchas especies juntas, mientras que en otras son menos las que conviven. Factores como el clima y la orografía determinan la mayor o menor diversidad. Podrás darte cuenta de lo anterior al observar con atención el lugar donde vives.

Un dato interesante

México está considerado como un país megadiverso, es decir, se encuentra entre los países con mayor biodiversidad de la Tierra, dado que en él se han encontrado 19 065 especies de plantas, 1096 de aves y 535 de mamíferos, de acuerdo con datos de la Comisión Nacional para el Conocimiento y Uso de la Biodiversidad (CONABIO) publicados en 2008.

Lobo mexicano.

Entre las causas de la biodiversidad existente en el territorio mexicano, está el origen de su formación. Hace 65 millones de años aproximadamente, Norteamérica estaba separada de América del Sur. Al descender el nivel de los mares y por procesos naturales se formó un puente entre ambas regiones. Como consecuencia los organismos pudieron llegar al otro lado del continente. Parte de este puente pertenece al territorio mexicano. Por tanto, la enorme biodiversidad que presenta el país es la confluencia de organismos de las dos zonas, tanto de América del Norte como América del Sur. Otro de los factores fue la formación de montañas y relieves (orografía), así como el clima de nuestro territorio, que contribuyeron al desarrollo y surgimiento de nuevas especies.

Biodiversidad del lugar donde vivo

Explora, analiza y compara.

Materiales:

- 15 metros de hilo de cáñamo o cordel
- 4 estacas
- Martillo
- Lupa
- Pala de jardinería
- Lápiz
- Papel
- Cinta métrica

Manos a la obra. Organícense en equipos. Con la ayuda de su profesor busquen un terreno, dentro o fuera de la escuela. En equipo delimiten con el cordel y las estacas un cuadrado de 3 m x 3 m o un área equivalente. Si es posible que el área de cada equipo tenga características diferentes, mejor. Observen las diferentes plantas y animales dentro del área señalada y elaboren una lista. Escarben la tierra con la pala y después, con la ayuda de la lupa, busquen algunos más. Si no conocen el nombre de los organismos, dibújenlos. El objetivo principal de la actividad es encontrar el mayor número de organismos.

En sus cuadernos contesten las siguientes preguntas: ¿Cuántos organismos encontraron? Comparen sus resultados con los de otros equipos. ¿En qué cuadrado se encontró mayor número de organismos? ¿Por qué consideran que hubo más organismos en un cuadrado que en otro?

El cuadrado en que fueron encontradas más organismos es el que tiene mayor diversidad.

Expongan la información en un mural para compartirla con la comunidad escolar.

León marino.

Órgano y saguaro en el desierto.

Nido de águila pescadora. Baja California.

Un dato interesante

México posee el récord mundial en diversidad de pinos, ya que más de 50% de las especies de pinos que existen en el mundo habitan en la República Mexicana.

También se han registrado en nuestro país 137 especies de murciélagos, de un total de 927 que hay en el mundo, es decir, 15% de la diversidad total; en comparación, Estados Unidos y Canadá juntos sólo tienen alrededor de 5% de las especies de murciélagos.

Lagarto mexicano conocido como escorpión, Chiapas.

Lagartija arborícola, México.

Murciélago pescador mexicano.

Jaguar, Chiapas.

Áreas protegidas
de México.

■ Reserva de la biosfera
■ Otras áreas naturales protegidas
□ Área de protección de flora y fauna

Todos dependen de todos

Investiga, interpreta y reflexiona.

Por equipos seleccionen un árbol cercano
a su casa o escuela. Observen los
animales u otras plantas que dependen
de su existencia. Reflexionen sobre
los beneficios que obtienen algunos
organismos presentes en el árbol
seleccionado y si este árbol recibe
un beneficio de los organismos de su
entorno.

¿Existe alguna relación entre el árbol
y los organismos que lo rodean? En clase
compartan la información, hagan una lista
de las relaciones que encontraron.

Todos los seres vivos se relacionan con el entorno
que los rodea: otros seres vivos y su medio físico. Por ejemplo,
cuando un ave se refugia en un árbol, come de sus semillas,
baja para tomar agua y es devorada por un zorro, que también
toma agua y consume otros animales de la región. Al morir,
una parte de los restos del zorro será alimento para otros
animales y el resto se transformará en parte del suelo.

Al conjunto de organismos que viven en un área
determinada y que establecen relaciones entre ellos y los
factores abióticos (el agua y el clima) se le conoce como
ecosistema.

Mariposa monarca,
especie protegida.

Un dato interesante

Millones de mariposas monarca realizan
un largo e impresionante viaje de
más de cuatro mil kilómetros desde Canadá
hasta las montañas de Zitácuaro, Ocampo,
El Cacique, El Rosario y El Llano del Toro,
en Angangueo, Michoacán, donde
encuentran las condiciones que requieren
para su supervivencia: privacidad,
protección del viento y una temperatura
adecuada.

Consulta en...
http://cruzadabosquesagua.semarnat.gob.mx/iii.html

De qué factores depende la vida de las plantas

Investiga, reflexiona y aprende.

Materiales:

- 2 plantas del mismo tipo
- 2 contenedores del mismo tamaño
- Tierra de la localidad

Organícense en equipos y pregúntenle a un adulto cuáles plantas son comunes en su localidad. Seleccionen un par de ejemplares de un tipo y plántenlos en los contenedores.

Coloquen una de las plantas en las condiciones normales en que debe crecer. A la otra planta cámbienle alguna de esas condiciones, puede ser una mayor o menor cantidad de agua, sol o sombra, incluso alguna otra que se les ocurra. En equipo propongan una situación diferente. Durante una semana describan diariamente si las plantas presentan algún cambio, comparen ambas plantas.

En su cuaderno contesten las siguientes preguntas:

¿Qué factores intervienen en el desarrollo de la planta?

¿Cómo se dieron cuenta de ello?

¿Por qué se desarrolla en su localidad la planta que escogieron?

Realicen una sesión plenaria en la que expongan los resultados de sus observaciones.

Durante el desarrollo de este tema valorarás nuestra riqueza natural al comparar las características básicas de los diversos ecosistemas de México.

También compararás el aprovechamiento de los recursos naturales en diferentes momentos históricos y su impacto en los ecosistemas.

TEMA 2

Características generales de los ecosistemas y su aprovechamiento

En México hay una gran cantidad de ecosistemas. En muchas ocasiones éstos se nombran por las condiciones climáticas que imperan o por la vegetación predominante. ¿Sabes cuál es el ecosistema del lugar donde vives?, ¿qué se obtiene de él? Coméntalo con tus compañeros y traten de llegar a un acuerdo.

Algunos de los ecosistemas en México son: bosque de coníferas, bosque de pino encino, bosque tropical, desierto, pastizal, humedal y marino. Cada uno de ellos tiene características particulares que lo diferencian de los demás.

Los pinos y abetos (conocidos como árboles de navidad) son característicos del bosque de coníferas, que presenta un clima frío o semifrío y el hecho de que siempre se encuentra húmedo. Es la principal fuente de madera de nuestro país. Ahí podemos encontrar mamíferos como: oso pardo, oso negro, venado cola blanca, lince, tejón y lobo. A un bosque de este tipo, ubicado entre los límites de Michoacán y el Estado de México, llega la mariposa monarca a pasar el invierno.

El bosque de pino encino se identifica por la combinación de estas dos especies de árbol. Es el más extendido en nuestro país, ya que se presenta en

Bosque tropical. Caducifolio en temporada de lluvias.

todas las zonas altas, desde 1 600 a 3 000 metros sobre el nivel del mar (msnm), y con temperaturas promedio de 10 a 26 °C (grados celsius o centígrados). Su fauna representativa es prácticamente la misma que la del bosque de coníferas.

Los bosques tropicales se caracterizan por presentar temperaturas de 17 a 30 °C. Presentan una enorme variedad de flora y fauna, con árboles de hasta 25 metros de altura. El rango de lluvia puede extenderse desde seis meses hasta todo el año. La mayoría de las frutas que consumimos provienen de este tipo de ecosistema, como los mangos, papayas, mameyes y plátanos. Los animales que podemos encontrar son jaguares, tapires, pecarís y venados temazate.

El desierto se caracteriza por la escasez de lluvia la mayor parte del año, presenta temperaturas extremas entre el día y la noche. La vegetación está integrada por

Bosques mesófilos en México.

Águila arpía.

cactáceas, agaves, nopales y árboles espinosos. Su fauna es rica en reptiles como víboras, tortugas y lagartijas. Mamíferos como ratones, liebres, zorros, coyotes y aves como el correcaminos. De este ecosistema obtenemos frutos, dulces (acitrón) de cactáceas, madera para leña, carbón y el pastoreo de ganado caprino y bovino.

Los pastizales son grandes llanuras, que generalmente han sido taladas, perdiendo así su vegetación original.

Bosque mesófilo.

Tapir.

Se les da un uso distinto, como tierras de pastoreo, la siembra de diversos cultivos, como el maíz, entre otros. Los árboles sólo se concentran en áreas cercanas a los ríos o en zonas húmedas. Los animales que podemos encontrar son: tuzas, conejos, zorros, serpientes y algunas aves.

En la zona costera existen lagunas, donde se mezcla el agua dulce con la salada, se les conoce como estuarios. En estos últimos la flora característica es el mangle y la fauna consiste en una gran variedad de peces, cangrejos, camarones, serpientes, loros, aves acuáticas, ranas, sapos, tortugas de agua y cocodrilos. Algunos de ellos son utilizados como mascotas, alimento o se obtienen cinturones y chamarras.

En los mares, junto a la costa, existen las zonas de arrecifes que son las de mayor biodiversidad en corales, moluscos, peces, mamíferos y tortugas marinas. Por ejemplo, los arrecifes de coral presentes en el mar Caribe, en la península de Yucatán, el puerto de Veracruz, en el golfo de México y el Pacífico Mexicano.

Mi ecosistema

Investiga y analiza.

Recuerda que en grupo definieron el ecosistema en el que se encuentran. ¿Estaremos en lo cierto? Observa detenidamente y contesta, ¿cuáles son las características ambientales del lugar donde vives? Identifica, ¿cuáles plantas y animales silvestres son los más representativos?

Anota tus observaciones en el cuaderno y compáralas con la información que leíste sobre el tema. Recuerda que cada ecosistema tiene características particulares. Investiga y averigua, ¿cuál de ellos corresponde a tu localidad? Guarda tu información en el portafolio de ciencias.

Consulta en...
http://www.biodiversidad.gob.mx/ninos/paisMaravillas.html
http://www.biodiversidad.gob.mx/ecosistemas/ecosistemas.html

Quetzal. Ave que habita en el estado de Chiapas y Centroamérica.

Zona de humedales.

Ecosistema marino.

Planta de mangle en una laguna costera

Bosque tropical espinoso.

Desierto con cactáceas.

Zona modificada, ahora pastizal.

Sabana.

Bosque de encino.

Bosque de encino.

Bosque tropical.

Bosque de pino.

El ser humano y la Naturaleza

El ser humano comparte con otros seres vivos los mismos espacios y también depende de su entorno para satisfacer sus necesidades. Su relación con el entorno natural ha cambiado a lo largo del tiempo de acuerdo con su desarrollo tecnológico.

En las primeras sociedades, las principales actividades para obtener alimentos fueron la recolección de frutas y vegetales, la pesca y la caza.

Al realizarlas, los humanos sólo recogían lo que necesitaban para subsistir, por lo que el impacto sobre la Naturaleza era mínimo.

Los grupos humanos también seguían a los animales de un sitio a otro durante sus migraciones. Esto permitía la renovación y recuperación de los recursos en los lugares que habitaban temporalmente. Este tipo de sociedades se conocen como nómadas.

Con el descubrimiento de la agricultura y la ganadería, los humanos ya no tuvieron necesidad de desplazarse y se establecieron de manera definitiva en un solo lugar: se convirtieron en grupos sedentarios, lo que constituyó una forma distinta de relacionarse con la Naturaleza. En ese momento comenzó la explotación intensiva de los recursos naturales y la transformación profunda de los componentes del ambiente por parte de las civilizaciones agrícolas. Las especies cultivadas y la transformación del entorno por actividades como la tala desplazaron a las especies originarias a distintos lugares.

Las fábricas y el ambiente

Con el paso del tiempo diversos cambios tecnológicos y sociales dieron lugar a las fábricas. En ellas se empezó a producir bienes de manera intensiva, con lo que aumentó la demanda de los recursos naturales, pues su producción requiere muchas materias primas y combustible. Además, las poblaciones cada vez más grandes exigen mayor cantidad de alimentos y servicios, como agua y energía eléctrica.

Flamencos en el estado de Yucatán.

Ecosistemas alterados por la actividad humana.

En la actualidad, el número de ciudades se ha multiplicado, y por ello también el número de fábricas necesarias para satisfacer la demanda de productos y servicios. Esto ha provocado la alteración e incluso la pérdida de extensas áreas verdes y la disminución o desaparición de diversas especies. Por otra parte, los residuos que se generan en la industria y en las ciudades se arrojan al ambiente y contaminan la atmósfera, el suelo y el agua.

¿Cómo era antes?

Pregunta, compara y difunde.

Pregunta a una persona mayor cómo eran durante su infancia la flora, la fauna, el paisaje, los cultivos, las actividades y el tipo de construcciones en tu localidad.

A partir de la información recabada, describe cómo es ahora el lugar donde vives. Anota las diferencias y semejanzas entre las dos épocas. Describe cómo se ha modificado tu comunidad con el paso del tiempo.

Intercambien la información y lleguen a una conclusión con respecto a las modificaciones que ha sufrido el medio. Argumenten su respuesta. ¿Ha existido algún beneficio o daño ocasionado por esta modificación? ¿Cuáles consideran las más importantes?

Anota en tu diccionario las palabras nuevas o que no comprendas y su significado, porque las volverás a utilizar.

En equipos y con la información obtenida, realicen un cartel dirigido a la comunidad escolar, expongan alguna idea para preservar o mejorar su entorno. ¿Existe alguna experiencia exitosa? ¿Cuál? Recuerda que la alteración o modificación de uno de los elementos del ecosistema afecta a los demás.

Consulta en...
http://www.biodiversidad.gob.mx/ninos/causas.html
http://www.fansdelplaneta.gob.mx/
http://www.biodiversidad.gob.mx/ecosistemas/ecosistemas.html
http://oncetv-ipn.net/naturaleza/presentacion/index.htm

Las sociedades industrializadas

Las sociedades industrializadas generan una gran cantidad de productos innecesarios para el ser humano, por eso muchos de ellos sólo se usan un tiempo y son desechados o cambiados por otros nuevos.

Para la producción de estos artículos se utilizaron diversos recursos, la mayoría de los cuales no se pueden volver a generar en un tiempo razonable, se les denomina recursos no renovables. El ejemplo más notorio es el petróleo. En cambio, hay otros recursos que sí es posible volver a obtener o regenerar, como es el caso de algunas plantas y animales, siempre y cuando no extingamos las especies. Éstos son recursos renovables.

Bajo las condiciones adecuadas, un área de bosque o de selva afectada por la tala se regenera cuando surgen en ella nuevos árboles y plantas que reemplazan a los que fueron cortados.

Tal vez la tela de tu ropa esté hecha de productos de plantas como el algodón o de lana de animales como los borregos. Estos materiales, como la madera o el

Cultivo de algodón.

algodón, se llaman bienes, igual que todos los elementos de la Naturaleza utilizados o consumidos por los seres humanos.

El ambiente no sólo proporciona recursos que podemos utilizar de manera inmediata; también genera las condiciones necesarias para que sigamos vivos, es decir, regula la humedad y la temperatura.

Plataforma petrolera.

Para finalizar este tema, reflexiona y responde las siguientes preguntas: ¿qué importancia tienen los ecosistemas de tu región? ¿Por qué es necesario que participes en su conservación?

Consulta en...

http://www.conabio.gob.mx (Ir a publicaciones/ Libros digitales/Vegetación de México. Rzedowski/Capitulo 9)

http://www.semarnat.gob.mx (Ir a Educación ambiental/Temas prioritarios).

La ciencia y sus vínculos

La Comisión para la Cooperación Ambiental (CCA) inició un proyecto de caracterización regional de los ecosistemas de América del Norte, con el fin de que los tres países que la conforman (Canadá, Estados Unidos de América y México) colaboren en asuntos ambientales.

    Para realizar esta identificación se revisaron aspectos como los suelos y el tipo de vegetación, así como las formas del terreno. De esta manera, cada región se puede determinar como un sistema ecológico independiente, resultado del entrecruzamiento y la interacción de factores geológicos, orográficos, condiciones climáticas y de los suelos en su relación con los seres vivos, así como características de la fauna, la flora y los seres humanos presentes en ella. Esta clasificación dio los resultados que se ven en el mapa de esta página.

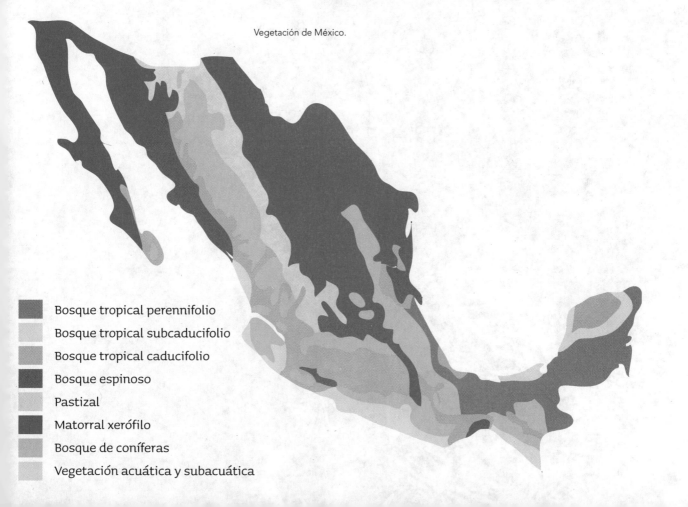

Vegetación de México.

- Bosque tropical perennifolio
- Bosque tropical subcaducifolio
- Bosque tropical caducifolio
- Bosque espinoso
- Pastizal
- Matorral xerófilo
- Bosque de coníferas
- Vegetación acuática y subacuática

Durante el desarrollo de este tema aprenderás acerca de las principales causas de la pérdida de la diversidad biológica, para luego proponer algunas acciones de conservación.

También participarás en acciones que propongas para disminuir la contaminación del agua.

Las prioridades ambientales

La necesidad de alimentos, de materiales para confeccionar ropa y para construir viviendas, así como la manera de consumir la energía, han definido buena parte de la relación de los humanos con el resto del ambiente. Esto ha provocado grandes cambios en la Naturaleza, algunos de los cuales pueden ser irreversibles e impedir los procesos naturales de recuperación, lo cual disminuye la diversidad biológica. Ejemplos de esto son la tala inmoderada de árboles, el desvío del cauce de los ríos y el desecho de materiales peligrosos en el mar o la atmósfera.

Lirio acuático.

Tala inmoderada.

Al talar un bosque no sólo se pierden los árboles, que conforman la mayor parte de la vegetación; también se pierde la sombra que producen y por ende la vegetación que crece entre ellos, llamada sotobosque, que depende de dicha sombra para desarrollarse. Como consecuencia se pierde la humedad del suelo, dejan de crecer hongos que descomponen la materia orgánica y el suelo mismo se vuelve inapropiado para el crecimiento de las plantas originarias. A cambio, plantas de otras regiones colonizan la zona. Por otra parte, las aves dejan de tener un refugio y disminuye la cantidad de insectos, su principal fuente de alimentación, lo que ocasiona que los animales que se alimentan de las aves también dejen de tener medios para subsistir.

La alteración de un ecosistema provoca que algunos animales emigren y otros perezcan, aunque algunos de ellos pueden adaptarse también a las nuevas condiciones del ambiente.

Alteración del ecosistema.

Alteración del ecosistema.

¿Qué desapareció?

Busca, analiza y concluye.

En equipo, con ayuda de internet, libros, revistas y periódicos, busquen información sobre las especies de plantas, animales y hongos que existieron en otra época en el lugar donde viven y que ya no se encuentren. Identifiquen la razón por la que esto ha sucedido. Anoten sus observaciones en el siguiente cuadro.

Compartan los resultados de su cuadro con el grupo y propongan algunas acciones que puedan ayudar a preservar el medio.

Con las conclusiones obtenidas realicen una campaña para difundir la importancia de la conservación de la diversidad biológica.

Tipo de organismo	Nombre común	Razón de su desaparición
Animales		
Plantas		
Hongos		
Otros		

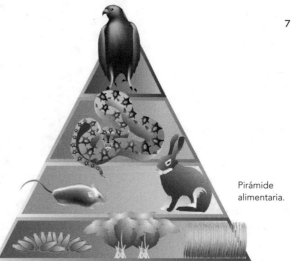

Pirámide alimentaria.

Importancia de cuidar el medio ambiente

Como hemos visto, debido al consumo y a las necesidades humanas se arroja una enorme cantidad de desechos al agua de los ríos, lagos y mares. Estos desechos ocasionan la pérdida de la biodiversidad, ya que pueden alterar algunas propiedades del agua, como su temperatura, transparencia y cantidad de oxígeno, además de que algunas de las sustancias vertidas actúan como venenos.

Los desechos que llegan al mar son de origen industrial y doméstico. Entre los contaminantes que se producen en casa podemos mencionar detergentes y limpiadores, aceites, solventes y materia orgánica como restos de comida, heces y orina. Reflexiona sobre cómo contribuyes a la contaminación del agua.

La importancia del cuidado del ambiente

Reconoce, construye y argumenta.

Materiales:
- Cuaderno
- Lápiz
- Marcadores de colores
- Tarjetas de cartulina

Manos a la obra. Formen equipos para trabajar. Basándose en la pirámide alimentaria que aparece a la derecha, creen diversas pirámides alimentarias del océano o de la tierra. Para ello, primero tienen que investigar el tipo de organismos que viven en las regiones que elijan, y después reflexionar sobre cuestiones como las que siguen y otras que planteen por cuenta propia.

¿Qué sucede en el océano cuando mueren grandes cantidades de organismos que integran la base de la pirámide?

¿Qué pasaría si por la contaminación desapareciera alguna de las especies que ocupa otro de los niveles?

¿Qué ocurriría si se extinguiera algún ser vivo del nivel más alto?

Las actividades que realizamos los seres humanos tienen repercusiones en el entorno natural. Por tanto, es necesario aprender a convivir y relacionarnos respetuosamente con las personas y la Naturaleza.

La ciencia y sus vínculos

La Organización Mundial de la Salud (OMS) recomienda que la cantidad adecuada para el consumo de agua para las actividades diarias por persona debe ser de 80 litros por día.

Sin embargo, en nuestro país hay personas que no pueden consumir ni la mitad de esa cantidad, mientras que algunos desperdician mucha más. Es importante mencionar que cuanta más agua utilices, más se contamina.

¿Aprovechas de manera adecuada el agua? Reflexiona sobre cuál de las siguientes acciones has puesto en práctica:

1. Utilizar detergentes biodegradables.
2. No arrojar al drenaje solventes, pinturas, aceites ni colillas.
3. Cambiar el depósito de la taza de baño por uno de menor capacidad.
4. Regar las plantas al amanecer o al anochecer para evitar la evaporación del agua.
5. Cerrar la llave mientras te cepillas los dientes, enjabonas platos o te enjabonas al bañarte.
6. Reparar fugas y goteras de agua.
7. Bañarte en el menor tiempo posible.

Consulta en...
http://www.inegi.org.mx
http://sepiensa.org.mx

Al desarrollar este proyecto aplicarás tus conocimientos sobre la biodiversidad en tu estado.

También llevarás a cabo propuestas para conservar sus especies endémicas y comunicarás a tu comunidad los resultados de tu investigación

PROYECTO

Especies endémicas

Nuestro planeta está habitado por numerosas especies, muchas de ellas extendidas en grandes y diversas zonas. Sin embargo, existen especies que habitan en una sola región con características geográficas únicas para su desarrollo. Estas especies se conocen como endémicas.

En México habita una gran variedad de especies endémicas. La responsabilidad de cuidarlas es grande debido a que las actividades del ser humano modifican constantemente las regiones y esto puede dar como resultado la extinción de alguna de ellas.

Cirio.

Carpa bicolor.

Teporingo.

Cotorra serrana.

Iguana espinosa.

Ajolote mexicano.

Al desarrollar este proyecto aplicarás tus conocimientos relacionados con la biodiversidad en la entidad donde vives. También lograrás plantear, desarrollar y evaluar alternativas para conservar las especies endémicas, con base en el análisis de la información. Utilizarás diversos medios de comunicación como el periódico mural, folletos y carteles para dar a conocer los resultados de la investigación a la comunidad escolar.

PROYECTO

Las especies endémicas

¿Qué especies endémicas hay en la entidad donde vivo?

¿Cómo podemos colaborar en su conservación?

Planeación

Organícense en equipos para realizar una investigación acerca de las especies endémicas de México. Respondan las preguntas que a continuación se sugieren; también pueden proponer otras que sean de su interés. Las respuestas les ayudarán a aclarar lo que quieren investigar.

¿Qué especies endémicas hay en el lugar donde vivimos?

¿Cómo podemos colaborar para su conservación?

¿Cuál es el estado de conservación de estas especies?

¿Qué puede pasar con ellas si se altera el ecosistema?

¿Qué papel desempeñan en la cadena alimentaria?

Desarrollo

Para responder estas preguntas, investiguen en los libros de la biblioteca escolar y de bibliotecas públicas, en revistas, internet, zoológicos y museos. También pueden acercarse a las siguientes instituciones:

- Comisión Nacional de Áreas Naturales Protegidas (Conanp).
- Procuraduría Federal de Protección al Ambiente (Profepa).
- Secretaría de Medio Ambiente y Recursos Naturales (Semarnat).

Comunicación

Una vez que hayan contestado las preguntas y organizado sus respuestas, elaboren un cartel para hacer una presentación ante el grupo. Para ello utilicen también dibujos, fotografías y recortes que resalten la importancia de mejorar nuestra calidad de vida. Además hablen acerca de las opciones para cuidar el ambiente y la salud.

Evaluación

Al realizar este ejercicio podrás conocer tu desempeño en el trabajo en equipo. Es importante que reflexiones al respecto para mejorar cada vez más.

	Sí	No	A veces	Qué puedo hacer para mejorar
Apliqué mis conocimientos relacionados con la biodiversidad en la entidad donde vivo.	○	○	○	
Planteé, desarrollé y evalué alternativas para conservar las especies endémicas de mi entidad, con base en el análisis de información.	○	○	○	
Utilicé diversos medios de comunicación, como periódicos murales, folletos y carteles, para dar a conocer los resultados de mi investigación a la comunidad escolar.	○	○	○	

Evaluación

1. Al cruzar el valle de Cuicatlán-Tehuacán se puede observar una gran cantidad de cactos, todos ellos diferentes entre sí: unos son altos, otros globosos, otros tienen espinas que parecen pelo y otros más cuentan con espinas enormes. Esto se refiere a:

a) Biodiversidad
b) Riqueza
c) Abundancia
d) Distribución

2. Menciona los factores que ocasionan la pérdida de la biodiversidad: _____

_____

_____

3. Relaciona ambas columnas.

a) Especie endémica.

b) Biodiversidad.

c) Ecosistema.

d) Bosque de coníferas.

e) Contaminación del agua.

1. Conjunto de organismos relacionados entre sí y con su medio.

2. Cantidad de especies en una región.

3. Organismos exclusivos de una región.

4. Detergentes no biodegradables.

5. Vegetación principalmente de pinos.

Autoevaluación

Es hora de que revises lo que has aprendido después de trabajar en este bloque. Lee cada enunciado y marca con una (✔) el nivel que hayas logrado alcanzar. Así podrás conocer cómo fue tu desempeño al realizar el trabajo en equipo y de manera personal.

	Siempre	A veces	Casi nunca
Reconozco que las distintas formas de interacción en que los seres vivos se nutren, se relacionan y se reproducen definen su diversidad.	○	○	○
Explico la interdependencia de los seres vivos en la dinámica del ecosistema local.	○	○	○
Propongo y participo en acciones que contribuyan a la disminución de la contaminación del agua en los ecosistemas.	○	○	○
Puedo utilizar diversos medios de comunicación, como periódicos murales, folletos y carteles, para dar a conocer los resultados de mi investigación a la comunidad escolar.	○	○	○

¿En qué otras situaciones puedes aplicar lo que aprendiste en este bloque? _____

_____

	Siempre	A veces	Casi nunca
Realicé las tareas asignadas en el plan de trabajo.	○	○	○
Aporté ideas al equipo y sugerí cómo realizar las actividades.	○	○	○
Busqué información relacionada con el tema en diferentes medios impresos y electrónicos.	○	○	○
Trabajé en equipo de manera ordenada y organizada.	○	○	○
Reflexioné sobre mis propias explicaciones y las de mis compañeros.	○	○	○
Respeté y valoré las aportaciones de mis compañeros.	○	○	○
Mantuve buenas relaciones con los integrantes de mi equipo.	○	○	○

¿Cómo son los materiales y sus interacciones?

ÁMBITOS:

- LOS MATERIALES

- LA TECNOLOGÍA

- EL AMBIENTE Y LA SALUD

- EL CONOCIMIENTO CIENTÍFICO

Durante el desarrollo de este tema identificarás al agua como disolvente de muchas sustancias que utilizas en tu vida diaria.

También relacionarás los procesos de contaminación del agua con la solubilidad de algunas sustancias en ella, y propondrás medidas para evitar contaminarla.

TEMA 1

Importancia del agua como disolvente universal

Cuando agregas sal al agua y agitas la mezcla, parece que la sal agregada desaparece, pero al probar el líquido te das cuenta de que la sal sigue ahí. ¿Sabes si esto sucede también con otros materiales? ¿Sabes cómo se llama este fenómeno? Comenta las preguntas con el grupo.

Como observarás en la actividad, el agua tiene la propiedad de disolver a otros materiales contenidos en ella; por eso el agua es uno de los mejores disolventes conocidos.

Las aguas frescas, bebidas mexicanas, se preparan con agua simple potable como disolvente.

¿Qué es soluble y qué no?

Experimenta, observa y reflexiona.

Materiales:

- 10 vasos, preferentemente de vidrio
- Agua simple potable
- Vinagre
- Una cuchara
- Sal de mesa
- Una cucharada de azúcar
- Aceite comestible
- Alcohol
- Arena

Formen equipos para trabajar.

Dividan los vasos en dos grupos de cinco. Viertan agua hasta la mitad en los primeros cinco vasos. A uno agréguenle una cucharada de sal, a otro una de azúcar, al tercero una de aceite comestible, al cuarto una de alcohol y al restante una de arena. Agiten cada vaso vigorosamente y observen lo que sucede.

Ahora con los cinco vasos restantes repitan la operación, pero sustituyan el agua por vinagre. De acuerdo con sus observaciones completen la tabla de abajo.

Entre el vinagre y el agua, ¿cuál disuelve más materiales? ¿Cómo sabes que los materiales son solubles? Coméntalo con tus compañeros y anoten sus conclusiones en su cuaderno.

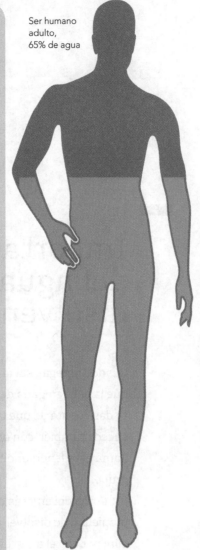

Ser humano adulto, 65% de agua

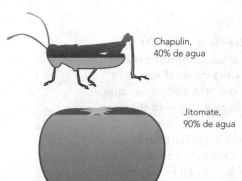

Chapulín, 40% de agua

Jitomate, 90% de agua

La solubilidad es la capacidad de un material para disolverse en otro, por ejemplo, el azúcar y la sal se disuelven al mezclarse con el agua, por eso pareciera que desaparecen.

El agua es una sustancia abundante en los seres vivos: 40% del cuerpo de algunos insectos es agua, mientras que el jitomate se compone de 90% de agua. Los seres humanos, dependiendo de nuestra edad, tenemos entre 75% (cuando somos recién nacidos) y 65% (en la edad adulta) de agua.

Cuando llueve, el agua disuelve sales que existen en la tierra; así éstas pueden correr por los ríos hasta llegar al mar. A través del tiempo las sales se han ido concentrando, por eso el agua de mar tiene sabor salado.

Un dato interesante

Las estalactitas y estalagmitas se forman con el transcurso del tiempo, debido a que las sales de la tierra disueltas en agua escurren o caen por la acción del líquido y éste al evaporarse deja las sales en forma de picos. Las podemos observar en algunas grutas y cavernas como las grutas de la Estrella en el Estado de México o ríos subterráneos (río Secreto), en cavernas de Playa del Carmen en la Riviera Maya.

Sustancia	Se disuelve en agua	Se disuelve en vinagre
Sal		
Azúcar		
Aceite		
Alcohol		
Arena		

Pez, 80% de agua

¿Qué más encontramos en el agua?

Observa, analiza y reflexiona.

Materiales:
- Una botella de agua simple potable
- Suero oral (líquido)
- Una bebida energizante
- Un refresco

Lee las etiquetas de las botellas para que sepas qué materiales vienen disueltos en el líquido que contienen; haz una lista de ellos.

¿Qué bebida tiene más materiales disueltos?

¿Cuál de ellos tiene menos?

¿En qué circunstancias beberías cada una de ellas?

Solicita a tu maestro que te comente en qué circunstancias está indicado consumir estos líquidos.

Algunas de estas bebidas pueden ser perjudiciales para la salud si se consumen en exceso. Explica por qué.

Comenta con tu grupo tus respuestas y realicen carteles con la información obtenida. También anoten en ellos sus reflexiones. Coloquen los carteles en un lugar apropiado dentro de la escuela, para que toda la población escolar esté informada.

Un dato interesante

Un ser humano adulto, en promedio, contiene aproximadamente 65% de agua en su cuerpo; casi la mitad de ese porcentaje forma parte de los líquidos celulares. El cerebro contiene alrededor de 80% de agua, los músculos 75% y los huesos 30%. El cuerpo pierde agua a través de la orina, las heces y la transpiración; sin embargo, el líquido se repone por medio de los alimentos y del agua potable que se ingiere.

Los refrescos contienen sales y azúcares disueltos en agua.

Si aceptamos que 65% del peso del cuerpo humano corresponde al contenido de agua, y que un litro de agua pesa aproximadamente un kilogramo, ¿cuántos litros de agua contendrá el cuerpo de una persona que pesa 80 kg? ¿Aproximadamente cuánta agua contiene tu cuerpo?

Es importante mencionar que en un día pierdes alrededor de 3/4 de litro de agua a través de la piel y por los pulmones, es decir, sudando y respirando. Si la temperatura del ambiente aumenta, pierdes más agua. Pero ésta también se desecha al ir al baño, y si tienes diarrea es probable que en una sola evacuación pierdas hasta un litro, en este caso es necesario recuperarla tomando líquidos como suero oral disuelto en agua.

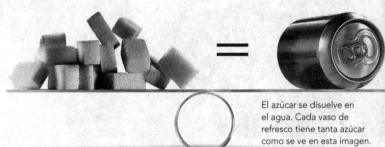

El azúcar se disuelve en el agua. Cada vaso de refresco tiene tanta azúcar como se ve en esta imagen.

Un dato interesante

El doctor Carlos Aguilar, investigador del Instituto Nacional de Nutrición Salvador Zubirán, afirmó que "en la epidemia de sobrepeso y obesidad que enfrenta el país, el problema no es solamente lo que el mexicano come sino también lo que bebe". En los últimos 10 años el consumo de refrescos ha aumentado 60% y el de agua natural es cada vez menos frecuente. Una sola lata de refresco representa aproximadamente 13 cucharaditas de azúcar. En promedio, el consumo anual de refrescos por habitante es de 120 litros, lo cual significa que "un mexicano promedio ganará 12 kilos anuales de peso debido al consumo excesivo de bebidas gaseosas". En consecuencia, se ha propuesto que el refresco podría ser una de las causas del problema de obesidad actual de la población mexicana. Por ello es mejor tomar agua simple potable para saciar la sed.

Fuente: http://www.capacinet.gob.mx/wb2/eMex/eMex_Incrementan_refrescos_los_niveles_de_obesidad

El agua que perdemos y recuperamos

Investiga, observa y reflexiona.

En equipo, hagan una lista de actividades en las que identifiquen la pérdida de una cantidad mayor de agua de su cuerpo que la acostumbrada. Revisen en la página de la Secretaría de Salud (http://www.promocion.salud.gob.mx/dgps/descargas1/diconsa/Postal_Agua.pdf) el consumo recomendable de agua por día. Si no tienen acceso a internet, pregunten a su maestro qué otra fuente pueden consultar.

Luego establezcan una forma de medir el agua que consume un compañero en un día y si esa cantidad es la recomendada. Infórmense en las fuentes que les sugiera su profesor sobre las consecuencias de no ingerir el agua simple potable suficiente. Comenten sus resultados con el resto del grupo.

Gracias a la gran capacidad disolvente del agua, se utiliza en muchos productos que consumimos todos los días; sin embargo, es posible que no te hayas percatado de ello.

¿Contiene agua?

Experimenta, observa y reflexiona.

Materiales:
- Una botella de agua o de refresco con tapa
- Un poco de tierra
- Un litro de agua simple potable purificada.

Hagan una mezcla de la tierra con el agua hasta formar una pasta.
Colóquenla en el fondo de la botella.
Ciérrenla y déjenla al Sol por unas horas

Observa detenidamente. ¿Qué se forma en la parte superior de la botella? ¿De dónde sale esa sustancia?
Anota tus observaciones y elabora una hipótesis al respecto.

El agua es uno de los disolventes que se usan en la industria, en productos como limpiadores, jabones, medicinas, alimentos y suspensiones. En nuestras actividades cotidianas en la preparación de bebidas y la limpieza del hogar.

Cuando un material se disuelve en agua se dice que es soluble en ésta. En grupo comenten la importancia de la solubilidad de los productos de uso cotidiano.

Agua contaminada. Los detergentes biodegradables (que se incorporan fácilmente al medio) producen menos espuma.

Seguramente muchos de los productos que utilizas en el hogar generan desechos, como la espuma de jabones y detergentes, la medicina caduca (que venció su vida útil), los disolventes químicos y residuos de comida. Si estos desechos son tirados en las coladeras, pasan a los drenajes, qué sucede con el agua en que se disolvieron los productos antes mencionados? ¿Se puede volver a utilizar? ¿A dónde van a parar los residuos?

Comenta con tus compañeros esta situación.

Consulta en...

http://www.agua.org.mx (Ir a la sección centro virtual de información del agua/agua para niños).

http://www.conagua.gob.mx/CONAGUA07/Noticias/Recomendaciones_para_ahorrar_agua.pdf

http://www.agua.org.mx (Consultar la Sección Cultura del agua/ Material didáctico)

http://www.conabio.gob.mx/otros/biodiversitas/doctos/pdf/biodiv67.pdf

Infórmate

Busca, selecciona y reflexiona.

Por equipos seleccionen alguno de los residuos que son tirados al drenaje o directamente en los ríos y mares. Investiguen en revistas, periódicos o internet cuál es el efecto que producen en el agua y si la contaminan. En plenaria comenten sus resultados, evalúen cuáles son los residuos más contaminantes y difíciles de separar del agua, y reflexionen acerca de si existen estrategias para prevenir o disminuir la contaminación. Hagan un cartel por cada acción propuesta y péguenlos en la escuela.

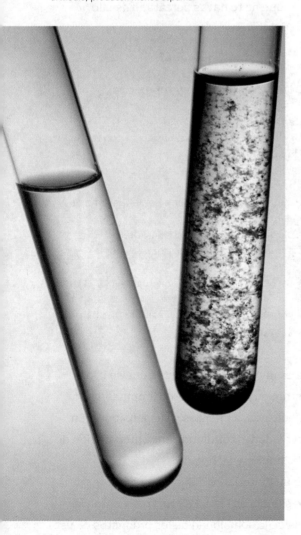

Análisis de agua. Dos tubos de ensayo con agua contaminada. Muchos agentes contaminantes son solubles en agua.

Como habrás visto, debido a que el agua disuelve muchos productos es fácil que se contamine. Todas las aguas que contienen productos de desecho se llaman aguas residuales. Comúnmente, éstas se clasifican en tres tipos: aguas domésticas o urbanas, que provienen principalmente de los desechos de los hogares; aguas industriales, cuyo contenido de contaminantes es muy variable, ya que las fábricas de las que provienen desechan muchos tipos de materiales, algunos de ellos muy tóxicos; por último, aguas agrícolas que regularmente traen disueltos residuos tóxicos como herbicidas (sustancias para eliminar la maleza y plantas dañinas a los cultivos), insecticidas, fertilizantes (sustancias que ayudan al crecimiento de cultivos).

Actualmente es posible limpiar buena parte de las aguas residuales

¿Conoces algunos procedimientos para purificar el agua residual? En equipo describan algunos de ellos y preséntenlos a su maestro y al resto del grupo.

Agua contaminada.

Un dato interesante

La solubilidad de algunas sustancias en el agua favorecen la contaminación. Existen algunas medidas para evitarlo:

- Evita arrojar sólidos al drenaje, especialmente si vives en una zona donde el drenaje se bombea al mar sin tratamiento alguno.

- Evita tirar al drenaje sustancias químicas de uso doméstico.

- Uno de los contaminantes del agua más difíciles de eliminar son los desechos orgánicos producidos por los seres humanos y mascotas. Evita tirar las heces y otros materiales que pueden ser descompuestos por bacterias.

- Existen otros compuestos orgánicos, derivados del petróleo, como la gasolina, plásticos, plaguicidas, disolventes, detergentes, entre otros que al ser vertidos en el agua, llegan a permanecer por largos periodos de tiempo. Al ser productos fabricados por el ser humano, tienen estructuras moleculares complejas difíciles de degradar por los microorganismos.

Limpiemos agua

Experimenta, observa y reflexiona.

Materiales:
- Un litro de agua con la que te hayas lavado las manos
- Un litro de agua mezclada con tierra
- 2 cucharadas soperas de cal
- 2 cucharadas de alumbre
- ½ litro de agua limpia
- Papel filtro (filtro de papel para cafetera)
- Un embudo
- 2 envases limpios de dos litros de capacidad

Agrega una cucharada de cal a cada litro de agua. Agita cada mezcla vigorosamente y déjala reposar. Mientras, en otro recipiente vierte el alumbre y disuélvelo con el agua limpia; agrega la cuarta parte de esta mezcla a cada litro de agua con cal. Vuelve a agitar cada mezcla y espera hasta que los sólidos se decanten (se asienten).

Coloca el papel filtro en el embudo y éste en uno de los envases limpios. Sin mover mucho el recipiente, vierte poco a poco en el embudo una de las mezclas. Detente cuando empiecen a salir los residuos asentados en el fondo.

Haz lo mismo con la otra mezcla; utiliza un filtro nuevo y el otro envase limpio.

Observa ambas muestras filtradas. ¿Qué color presentan? ¿Qué olor tienen? ¿Cuál quedó más limpia? ¿Será potable esta agua? Investiga en internet o en la biblioteca si todas las aguas que se han limpiado son potables.

¿En qué se puede utilizar esta agua?

Investiga si en tu comunidad existen plantas de tratamiento de aguas residuales.

Por equipo, hagan una lista de acciones que puedan realizar en la escuela y en el hogar para contaminar menos el agua, y denla a conocer a la comunidad escolar.

No tiren los residuos de agua con cal y alumbre en la coladera; utilícenlos para encalar los árboles de su escuela o sus casas. El alumbre mata las bacterias y evita los malos olores. La mezcla de cal con agua es tóxica para los insectos y los mantiene alejados por un tiempo, por eso a veces se encalan los troncos de los árboles en algunos parques o jardines.

Consulta en...
Para profundizar acerca del tema consulta las páginas:
http://www.protegeelagua.gob.mx/ (Portal de Conagua)
http://www.profeco.gob.mx (Accesorios para ahorrar agua/ Boletin No. 21, junio 2004)

Durante el desarrollo de este tema identificarás mezclas que hay en tu entorno y, de acuerdo con las propiedades de éstas, deducirás la manera de separar sus componentes.

También explicarás por qué el aire es una mezcla y propondrás algunas acciones para evitar su contaminación.

TEMA 2

Mezclas

¿Cuántas mezclas?

Observa, analiza y razona.

Haz una lista de materiales que utilices y que consideres que sean mezclas.

Selecciona alguno de ellos que tenga una etiqueta con información y anota el número de ingredientes que contiene. En el salón comenten sobre el número de componentes que encontraron en las mezclas.

¿Cuántos componentes tiene una sola mezcla?

¿La solubilidad tiene relación con esto? ¿Cómo?

Anota tus respuestas en el cuaderno.

Mezcla para la construcción: arena, cemento y agua.

Pasta dental, ejemplo de mezcla.

Se le llama mezcla a los materiales que tienen varias sustancias. Si en una mezcla no se distinguen los materiales que la componen, como sucede cuando disuelves azúcar en agua, la mezcla es *homogénea*. Si se distinguen los materiales, como cuando intentas disolver tierra en el agua, la mezcla es *heterogénea*.

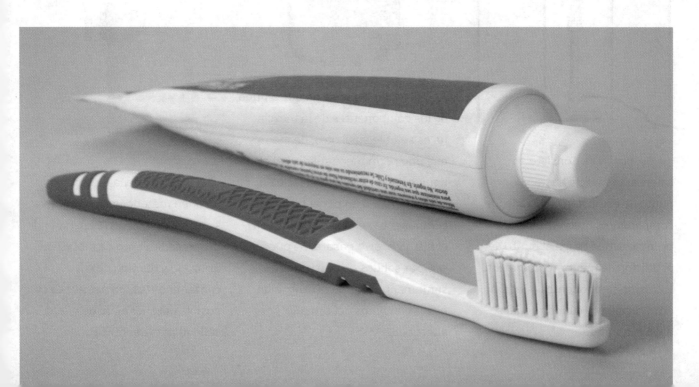

Existen distintos métodos para separar las sustancias que componen una mezcla. Para poder elegir el correcto es necesario conocer algunas características de cada uno.

Imantación. Se fundamenta en el magnetismo, que es la propiedad de algunos materiales para ser atraídos por un imán. El campo magnético del imán genera una fuente de atracción que, si es suficientemente grande, logra que algunos de los materiales se acerquen a él. Para poder usar este método es necesario que uno de los componentes sea atraído y el resto no.

Decantación. Es la separación de las partículas sólidas que no se disuelven en un líquido, o la separación de dos líquidos que no se disuelven entre sí. Cuando se trata de dos líquidos, éstos se dejan en reposo y se espera a que aparezca una línea divisoria entre ellos (como se ve en la ilustración de abajo, que muestra cómo funciona un embudo de separación). La llave del embudo permite regular la salida de uno de los líquidos.

Evaporación. Consiste en calentar la mezcla hasta el punto de ebullición de uno de los componentes, pues se evapora primero el que tenga el punto de ebullición de menor temperatura. Los otros componentes quedarán en el recipiente cuando aquél se haya evaporado.

Filtración. Se basa en que alguno de los componentes de la mezcla no es soluble en el otro, de modo que uno permanece sólido y el otro líquido. Se deposita la mezcla en una coladera o un papel filtro; el componente sólido se quedará en el filtro y el otro pasará. Se pueden separar sólidos de partículas sumamente pequeñas utilizando filtros con poros del tamaño adecuado.

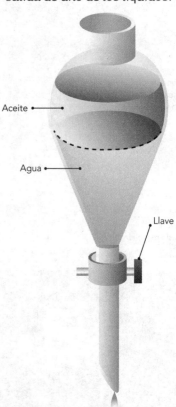

Aceite

Agua

Llave

El filtrado del agua es un buen método para separar sus contaminantes. Dependiendo del procedimiento de filtración utilizado y del tipo de contaminantes, en ocasiones es posible obtener agua de buena calidad para ser reutilizada.

Hagamos mezclas

Experimenta, observa y reflexiona.

Materiales:
- Agua
- 4 envases
- Aceite comestible
- Arena
- Semillas de frijol
- Clips
- Tierra
- Un imán
- Un embudo
- Papel filtro
- Una cucharada de sal

Agua purificada   Aceite comestible

Manos a la obra. Organicen equipos para trabajar. Llenen con agua sus envases hasta la mitad y agréguenle a uno aceite, a otro arena y al siguiente frijol, clips y tierra. Al último envase añádanle la sal.

Describan cada una de las mezclas y observen en dónde se quedaron las sustancias que agregaron en el agua. ¿Flotan? ¿Se hunden? ¿Se disolvieron?

En el cuadro siguiente establezcan una hipótesis acerca de los métodos que utilizarían para separar cada una de las mezclas. Una vez que hayan planteado sus métodos, hagan una lista del material y equipo necesarios.

Efectúen las separaciones y anoten sus resultados. Tomen en cuenta las características de cada uno de los materiales, y si hay más de dos componentes, especifiquen en qué orden los van a separar.

Sal

Semillas de frijol

Cuchara

	Agua/aceite	Agua/arena	Agua/frijol/clips/tierra	Agua/sal
Cómo los vamos a separar				
Lo que necesitamos				
Nuestro resultado				

Al terminar, analicen en equipo sus resultados y luego expliquen al grupo cómo lograron separar las sustancias, cuál representó la mayor dificultad y cuál fue la más fácil de separar. ¿Obtuvieron buenos resultados en todos los casos? ¿Se necesitarían otros elementos para obtener mejores resultados? ¿Cuáles?

¿Cuáles de los métodos anteriores son los más usuales en tu hogar? Descríbelos.

Un dato interesante

Los consomés industrializados son una mezcla de sal, harina, soya, grasas animales, vegetales y un conservador de alimentos que requiere ser disuelta en agua para su consumo.

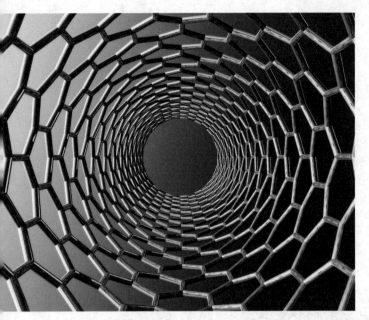

Imagen ampliada de nanotubos de carbono; se usan en la separación de mezclas y pueden servir de filtro, retienen incluso microorganismos.

Un dato interesante

Cada vez se construyen filtros con tecnología más moderna, como la de los nanotubos de carbono. ¿Te imaginas un tubo tan pequeño que sea mil millones de veces más delgado que uno de tus cabellos? Pues ese tubo existe: se llama nanotubo y está hecho de grafito, como el material de la punta de tu lápiz. Su porosidad es tan fina que no deja pasar bacterias, virus, hongos ni metales que pueden ser nocivos para la salud, pero sí deja pasar agua, lo que haría que prácticamente toda el agua para consumo humano pudiera filtrarse a un bajo costo, ya que el grafito es muy barato. Con ello se conseguiría abastecer de agua potable a los 2400 millones de personas que no cuentan con ella.

Otro tipo de mezcla con la que estamos en contacto cada día es el aire; en ella coexisten varios gases. ¿Sabes qué contiene el aire? Coméntalo con tus compañeros y luego realicen la siguiente actividad.

Estufa portátil de gas butano.

¿De qué está hecha?

Investiga, analiza y reflexiona.

En equipo hagan un listado de los gases y otras sustancias que ustedes consideren que conforman el aire. Después realicen una investigación en libros, internet u otras fuentes, acerca de la composición del aire, así podrán verificar si lo que escribieron es correcto.

También añadan los porcentajes de cada uno de los gases.

¿Cuál es el gas más abundante?
¿Cuál consideras más importante? ¿Por qué?
¿Cuál es menos conocido?
¿Cuál de los gases puede ser peligroso? ¿Por qué?
Anoten las respuestas en su cuaderno.

Busquen información sobre las consecuencias de inhalar materiales gaseosos tóxicos, como el humo del tabaco. En grupo propongan acciones para evitar la generación e inhalación de materiales gaseosos tóxicos. Anótenlas en su cuaderno, discútanlas en equipo y traten de llevarlas a cabo.

Los vehículos contaminan la atmósfera.

En las grandes ciudades se generan mezclas de gases tóxicos.

Cuando inhalas, aspiras una mezcla de gases. Entre ellos está el oxígeno necesario para tu respiración, pero también pueden estar presentes materiales gaseosos tóxicos. Éstos hacen necesario mantener, en la medida de lo posible, un aire adecuado para respirar.

Una dificultad para identificar las mezclas de gases es que normalmente no las puedes ver, a diferencia de las mezclas líquidas o sólidas. Algunos gases son tóxicos en mayor o menor grado. Es probable que al pasar un camión junto a ti, éste despida gases contaminantes y que tu olfato los perciba; sin embargo, puedes no advertirlos y aun así te dañan.

¿Sabes qué gases son nocivos para tu organismo? Coméntalo con tus compañeros.

Un dato interesante

La distribución del oxígeno en la atmósfera disminuye a medida que aumenta la altitud; es decir, si subes una montaña, la cantidad de oxígeno será menor en la medida que subas, y esto hace que se dificulte la respiración. Por ello los alpinistas deben prepararse físicamente antes de escalar una cima.

Durante el desarrollo de este tema aprenderás que la caída de los objetos evidencia la acción de la fuerza de gravedad, y que su peso produce efectos sobre otros objetos debido a la fuerza de atracción que ejerce la Tierra.

Luchador desafiando la gravedad.

Tiro parabólico de una pelota en caída

TEMA 3

La fuerza de gravedad

¿Sabías que cuando deformas un cuerpo o impulsas o detienes una pelota estás aplicando una fuerza? Coméntalo en equipo e intenten llegar a una conclusión en grupo. Piensen en otras acciones en las que apliquen una fuerza, y después realicen la siguiente actividad.

Los pingüinos caen gracias al efecto de la gravedad.

Paracaidistas en caída libre.

¿Cuánta fuerza?

Experimenta, observa y reflexiona.

Materiales:
- Una barra de plastilina
- 5 o más canicas o balines de diferente tamaño
- Cinta métrica

Manos a la obra. En equipo ablanden la plastilina, hagan con ella un cuadrado de 1 cm de espesor y colóquenlo en el suelo; ésa será su zona de deformaciones. Comiencen con la canica más pequeña, déjenla caer sobre la plastilina desde una altura de 1.5 m (para esto utilicen la cinta métrica). Observen si deja marca en la plastilina. Luego hagan lo mismo con la canica que le sigue en tamaño, y así sucesivamente hasta llegar a la canica de mayor tamaño. En cada caso anoten si la plastilina se deforma.

Respondan a las siguientes preguntas:

¿Qué canica hizo la mayor deformación?

¿Qué canica deformó menos la plastilina?

¿De qué depende el tamaño de la deformación?

¿Si la altura no cambia, qué influye para que se produzca una mayor deformación?

¿Cómo ejercerían mayor fuerza las canicas o balines?

¿Cómo sabrían que es mayor la fuerza con la que cae el objeto?

¿Qué hace caer a las canicas?

Comenten con el grupo sus respuestas.

Los objetos y la Tierra se atraen. Esta atracción es una fuerza y su intensidad depende de la cantidad de masa que tienen los objetos. Los cuerpos que tienen mayor masa son atraídos por la Tierra con una fuerza más intensa. A esta fuerza se le llama fuerza de gravedad y comúnmente le decimos peso. La fuerza de gravedad también interviene en las actividades que desarrollas; ¿la has sentido?

La fuerza de gravedad está presente en las actividades que realizas. Seguramente en el pasamanos o al colgarte de un árbol con las manos la sientes con mayor intensidad, pero también debes enfrentarla al caminar, correr o subir las escaleras. Al igual que tú, las plantas y animales interactúan constantemente con la gravedad. También se aprovecha el efecto de la gravedad en un acueducto cuando viaja el agua y cuando un paracaidista desciende.

Los materiales también están afectados por la fuerza de gravedad. La caída de los cuerpos, el flujo de los ríos y la precipitación de los sólidos son ejemplos de ello.

Para abandonar la Tierra, la nave debe vencer la fuerza de gravedad.

Un dato interesante

Para lograr que un cohete espacial salga de la atmósfera terrestre, éste debe vencer la fuerza de gravedad. Se ha calculado que necesita una velocidad de 11.2 km/s (kilómetros por segundo), lo que equivale a 40 320 km/h (kilómetro por hora). Lo anterior implica una enorme cantidad de energía. A esto se le conoce como velocidad de escape de la gravedad terrestre.

Siente la fuerza

Experimenta, reflexiona y opina.

Con ayuda de tu familia, busca un lugar donde haya un pasamanos, barras de un juego infantil en algún parque o bien, busca un árbol con una rama que pueda sostenerte.

Sostente con las manos el tiempo que te sea posible.

¿Te cuesta trabajo mantenerte sujeto?

¿Sientes la fuerza de atracción de la Tierra? Explícalo.

¿Hacia dónde se ejerce la fuerza?

En el salón, por equipo, comenten sus respuestas. En grupo, sugieran otras actividades en las que sientan la fuerza de gravedad. Ilústrenlas y guárdenlas en su portafolio.

Al desarrollar este proyecto aplicarás tus conocimientos para explicar el funcionamiento y la construcción de un dispositivo, como un filtro o un dinamómetro, mismo que diseñarás, construirás y evaluarás.

Funcionamiento de un dispositivo

En este bloque se han planteado algunas propiedades del agua, las mezclas y su separación, los componentes de la atmósfera y los efectos de la fuerza de gravedad. A partir de estos temas identifica algún problema del lugar donde vives relacionado con ellos y utiliza los conocimientos adquiridos en este bloque para tratar de solucionarlos totalmente o en parte.

Investiguen en equipo sobre un problema y cómo un dispositivo puede ayudar a solucionarlo. Diseñen el dispositivo. Antes de construirlo, hagan la lista de materiales necesarios y expliquen cómo funcionaría. Evalúen con su maestro la posibilidad de realizarlo, revisen los materiales, el tiempo de construcción y los costos, y sugieran los detalles que sean necesarios de acuerdo con la discusión.

Dos sugerencias de proyecto pueden ser la elaboración de un dispositivo para eliminar residuos sólidos del agua, o bien, construir uno con el que se pueda medir la fuerza que ejercen los objetos.

Ejemplo: *Construcción de un dispositivo para medir fuerzas, un dinamómetro.*

Un dinamómetro es un aparato sencillo destinado a medir fuerzas. Se basa en la relación que existe entre las fuerzas aplicadas a un cuerpo elástico y las deformaciones que se producen.

Al colgar una masa en el dinamómetro, la fuerza que actúa es el propio peso del cuerpo y, ya que éste es proporcional a la masa, lo utilizaremos para medir el peso de ese cuerpo o cualquier otra fuerza.

Materiales:
- Tubo de plástico
- Tapón de corcho
- Liga
- Trozo de alambre
- Rotulador

Preparamos un gancho con un trozo de alambre y lo colocamos al final de la liga para poder sujetar los objetos con facilidad.

Tomamos la liga y marcamos un punto en ella con un rotulador, para que nos sirva de referencia. Colocamos la liga dentro del tubo de plástico y la sujetamos con el tapón de corcho, de forma que el punto de referencia quede próximo al comienzo del gancho. Éste será el cero de la escala.

Una vez dibujada la escala el dinamómetro está listo para funcionar.

Si no disponemos del tubo de plástico podemos montar la liga sobre un trozo de cartón y colocar en él la escala.

Ya sólo falta calibrar el dinamómetro.

Fuente: http://elracodelaciencia.blogspot.com/2009/05/como-construir-un-dinamometro.html

Experimentación: *Fuerza y deformación de un cuerpo elástico.*
- En el dispositivo construido, leer en la regla la posición del indicador y anotar 0 mm en la posición inicial de la liga.
- Determinar la longitud de la liga sin carga, luego comenzar a colocar monedas y comparar la variación del peso con la variación de la longitud de la liga.
- Al colocar cada moneda en el platillo, leer el indicador de longitud en la regla y registrar la nueva medida de la liga. ¿Qué sucedió con la longitud de la liga? ¿Por qué sucede eso?

Presenta tu proyecto en clase y explica cómo funciona y la utilidad que tiene.

Ejemplos de dinamómetro y filtro de agua.

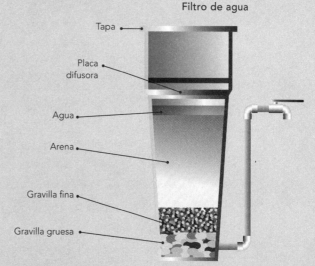

Filtro de agua

Tapa
Placa difusora
Agua
Arena
Gravilla fina
Gravilla gruesa

Evaluación

Completa o subraya para responder:

1. Al salir de la escuela, Esteban observó tres situaciones que lo hicieron recordar su clase sobre mezclas: primero vio cómo un albañil trabajaba con arena muy fina mezclada con cal; después notó que un poco de grava había caído en la cubeta con agua con la que un señor lavaba su coche; por último, al llegar a su casa vio que su hermana pequeña arrojó unos clips a una solución limpiadora para piso.

   Al igual que Esteban, reflexiona acerca de cada una de las situaciones. Anota los procesos para separar en cada caso las mezclas.

a)_____
b)_____
c)_____

2. El aire se considera una mezcla de gases porque:

a) Se combina con el agua.
b) Tiene oxígeno.
c) Contiene varios gases.
d) Es respirable.

3. Explica qué malestares tendrías al respirar gases tóxicos: _____
_____
_____

4. Menciona tres situaciones cotidianas en las que puedes apreciar la fuerza de gravedad:

a)_____
b)_____
c)_____

Autoevaluación

Es hora de que revises lo que has aprendido después de trabajar en este bloque. Lee cada enunciado y marca con una (✔) el nivel que hayas logrado alcanzar. Así podrás conocer cómo fue tu desempeño al realizar el trabajo en equipo y de manera personal para mejorarlo.

	Siempre	A veces	Casi nunca
Puedo identificar al agua como un disolvente útil.	○	○	○
Reconozco sustancias de uso cotidiano que están disueltas en agua y doy ejemplos.	○	○	○

¿En qué otras situaciones puedes aplicar lo que aprendiste en este bloque? _____
_____

	Siempre	A veces	Casi nunca
Indagué, obtuve y seleccioné información para las posibles soluciones a los problemas ambientales de mi localidad.	○	○	○
Utilicé diversos medios para comunicar a la comunidad los resultados de mi investigación, promoviendo la cultura de conservación del medio.	○	○	○

Me propongo mejorar en: _____
_____

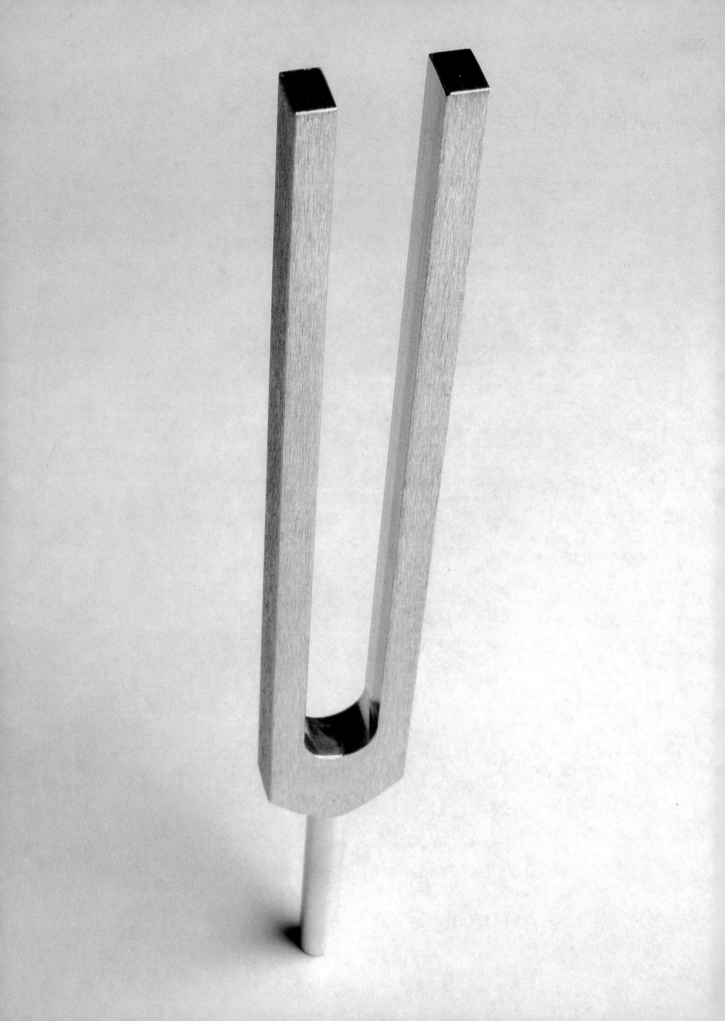

¿Qué efectos produce la interacción de las cosas?

ÁMBITOS:

- EL CAMBIO Y LAS INTERACCIONES

- EL AMBIENTE Y LA SALUD

- EL CONOCIMIENTO CIENTÍFICO

- LA TECNOLOGÍA

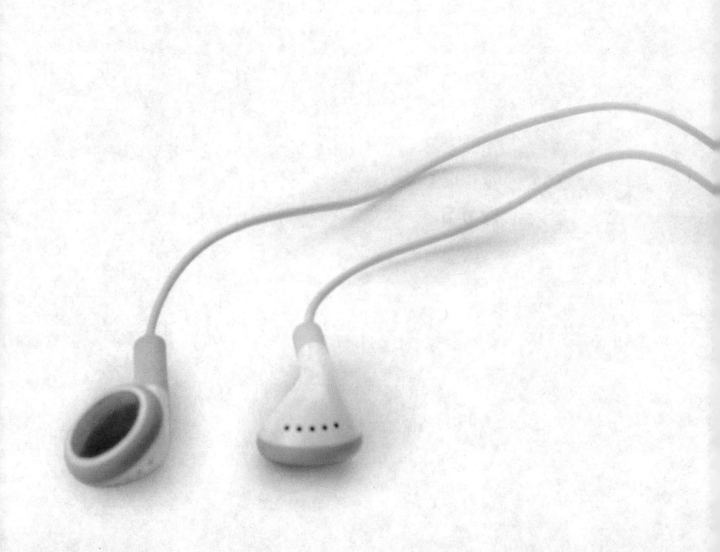

Durante el desarrollo de este tema relacionarás la vibración de los materiales con la propagación del sonido y a esta última con la audición. También reconocerás la importancia de evitar los sonidos intensos.

TEMA 1

La propagación del sonido y sus implicaciones en la audición

El sistema nervioso

Los seres humanos vivimos rodeados de sonidos: podemos escuchar la caída de la lluvia, el canto de algunas aves, el sonido de una campana, de instrumentos musicales y hasta el zumbido de un mosquito. Algunos organismos como los murciélagos emiten sonidos que les permiten cazar y alimentarse, y las ballenas se comunican mediante una especie de cantos que se pueden escuchar bajo el agua a grandes distancias.

Seguramente has escuchado la sirena de una ambulancia; ¿de qué depende que la escuches de manera fuerte y clara? Escribe la respuesta en tu cuaderno.

¿Alguna vez te has preguntado qué es el sonido y cómo se produce?

Reproductor de música y video con gran capacidad de almacenamiento.

Ballena jorobada. Golfo de California.

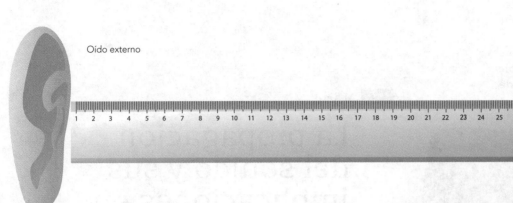

Oído externo

Reloj de pared
Fuente: http://juegos de logica.net/

Transmisión de sonidos en sólidos

Mide, comprueba y distingue.

Materiales:
- Un reloj mecánico en el que se escuche el segundero
- Una regla de madera o plástico de 30 cm

Trabajen en equipo.

Uno de ustedes colocará el extremo de la regla que marca el cero cerca de su oreja. Otro compañero pondrá el reloj en el otro extremo. El primero tratará de escuchar el sonido del segundero. Si no lo escucha, el otro compañero le acercará poco a poco el reloj a su oído, sin despegarlo de la regla, e irá anotando las distancias hasta que el primero lo pueda oír.

Completen la siguiente tabla y marquen con una (✓) la calidad del sonido en cada distancia.

En relación con los resultados de la tabla contesten las siguientes preguntas:

Si hubieran empleado una regla de plástico, ¿creen que sus resultados hubieran sido iguales, o diferentes?

¿Qué permitió que el compañero escuchara el sonido del segundero?

Entre equipos comenten sus respuestas y escriban en su cuaderno una conclusión grupal.

Distancia (cm)	Calidad del sonido			
	Claro y fuerte	Claro y débil	Distorsionado y débil	No se escucha
30				
25				
20				
15				
10				
5				

Transmisión del sonido en líquidos y gases

Distingue, comprueba y explica.

Materiales:
- Una cinta métrica
- Un reloj mecánico en el que se escuche el segundero

Trabajen en equipo y efectúen la actividad con el menor ruido posible.

Un miembro del equipo tomará el reloj y se ubicará en un extremo del salón, los demás se colocarán al lado opuesto.

Avancen unos pasos e indiquen si logran escuchar el segundero del reloj. Anoten a qué distancia están del mismo. Repitan el mismo procedimiento y completen la siguiente tabla: en la primera columna señalen las distintas distancias en que midieron y con una (√) elijan la calidad del sonido.

De acuerdo con los resultados de la tabla, ¿a qué se debe que se transmita el sonido?, ¿cómo se propaga el sonido?, ¿por qué?

Entre equipos comenten sus respuestas y escriban en su cuaderno una conclusión grupal. Reflexionen y contesten: ¿Cuál es la distancia en que se distorsiona la calidad del sonido? ¿Qué importancia tiene el evitar sonidos intensos? ¿Existe algún riesgo al escuchar música a un volumen alto? ¿Por qué?

Distancia (cm)	Calidad del sonido			
	Claro y fuerte	Claro y débil	Distorsionado y débil	No se escucha
30				
25				
20				
15				
10				
5				

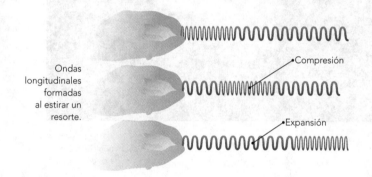

Ondas longitudinales formadas al estirar un resorte.

Compresión

Expansión

El sonido se genera siempre que se producen vibraciones en la materia, aunque no siempre lo podemos percibir.

Cuando un objeto es golpeado vibra y los objetos cercanos también, generando ondas que se propagan en el aire y nuestros oídos las perciben como sonido, por ejemplo: cuando escuchamos a lo lejos el estruendo de un rayo.

Una onda es una representación del movimiento periódico del medio en el que se propaga; dicho medio puede ser gaseoso, líquido o sólido. Existen dos tipos de ondas, según la dirección en la que se mueven: transversales y longitudinales.

Cuando arrojamos una piedra al agua, se producen ondas transversales, ya que el agua vibra hacia arriba y hacia abajo, y la onda lo hace de forma horizontal (perpendicular) a la dirección en que cayó la piedra. Por otro lado, al jugar con un resorte, las ondas longitudinales y el resorte se mueven horizontalmente debido a que posee zonas cuyas espiras están más juntas (compresiones) y en otras zonas están más separadas (expansiones). Los sonidos que escuchamos se deben a este tipo de ondas.

Ondas formadas en el agua.

Lo que escuchamos se debe a que las ondas sonoras se transmiten por el aire, también es posible escuchar los sonidos dentro de los líquidos como el agua o a través de los sólidos como el suelo. Por ejemplo: se puede escuchar el sonido al golpear una puerta, o un nadador puede escuchar el sonido cuando una piedra cae en el agua.

Los delfínes se comunican a través de ondas sonoras

Consulta en...

Goldsmith, Mike, *Luz y sonido*, SEP-Altea, México, 2007, (Libros del Rincón), pp. 46-47.

Kerrod, Robin. *Cómo funciona la ciencia*, SEP-Planeta, México, 2005, (Libros del Rincón), pp. 129-130.

Teléfono de hilo.

Teléfono

Construye, comprueba, describe.

En pareja observen la foto de abajo y elaboren su propio teléfono con materiales que tengan en casa o en la escuela. Atiendan las sugerencias de su maestro.

Una vez que terminen de elaborar su teléfono, cada uno tome uno de los botes y sepárense para extender el hilo. Ahora, alternando turno, cada uno hable utilizando el bote como bocina mientras el otro escucha usando su bote como auricular.

Cada equipo puede experimentar utilizando las cuerdas como se indican en el siguiente cuadro, complétenla y escriban los resultados del grupo.

Contesten las siguientes preguntas considerando los resultados de la tabla.

¿Por qué se puede oír la voz por el teléfono de hilo?

¿Cuál es la función de los botes perforados?

¿Cómo se transmite mejor el sonido, con la cuerda estirada o con la cuerda un poco floja?

¿La longitud y el grosor de la cuerda influyen en la calidad del sonido?

¿Mejoró o empeoró el sonido con el hilo mojado?

Entre equipos comenten sus respuestas y escriban en su cuaderno una conclusión grupal.

Cuerda	Descripción del sonido: perceptible, no perceptible, fuerte, débil, grave, agudo
Estirada	
Floja	
Corta	
Larga	
Delgada	
Gruesa	
Seca	
Mojada	

Podemos concluir que pudieron escuchar la voz del compañero cuando ésta chocó contra un material elástico, como el fondo del bote, y le transmitió sus vibraciones. A su vez, el fondo del bote las retransmitió a la cuerda y, a través de ella, llegaron al otro bote, que también vibró. Así se produjo el sonido (la voz) que el compañero escuchó.

Un dato interesante

La ecolocalización es la percepción
sensorial para explorar el medio ambiente
físico a través de sonidos.

La rapidez del sonido en el agua de mar
es de, 1 500 metros por segundo (m/s),
mientras que en el aire es de 340 m/s.

Nivel de agua en las botellas	Descripción del sonido: perceptible, no perceptible, fuerte, débil, grave, agudo
Vacía	
1/4	
1/2	
3/4	
Llena	

Botellas musicales

Escucha, comprueba, reflexiona.

Materiales:
- 5 botellas de vidrio del mismo tamaño y forma, vacías y limpias
- Agua (aproximadamente 2 L)
- Una cuchara de metal

Trabajen en equipo.

Coloquen las botellas alineadas una junto a otra.

Observen la imagen siguiente para saber cuánta agua verter en cada una de ellas.

Golpeen con la cuchara cada botella y escuchen el sonido que emite.

De acuerdo con lo escuchado, completen el cuadro de datos que se muestra en esta página.

En relación con los resultados del cuadro contesten las siguientes preguntas:

¿Qué tipo de notas emite cada una de las botellas: agudas o graves? ¿Por qué sucede esto?

¿Cuál es la relación entre la cantidad de agua en la botella y el sonido agudo o grave que se produce?

Entre equipos comenten sus respuestas y escriban en su cuaderno una conclusión grupal.

¿La cantidad de agua en las botellas influye en el tipo de sonido que se produce al golpearlas?

De modo general, podemos decir que los diferentes tonos de los sonidos que escuchamos se deben al número de ondas que se generan en un segundo: cuando el sonido es agudo se produjo un mayor número de ondas; cuando es grave, el número de ondas fue menor.

La intensidad del sonido se mide en decibeles (dB). El siguiente cuadro muestra algunos sonidos que escuchamos cotidianamente y su intensidad. Para la protección de las personas se han formulado regulaciones en el mundo que limitan el nivel en diferentes actividades que realiza el ser humano. La Organización Mundial de la Salud (OMS) considera 85 dB como el límite superior deseable.

Sonómetro utilizado para medir la intensidad del sonido.

Sirena de tornado. Advierte a los residentes si se acerca un tornado.

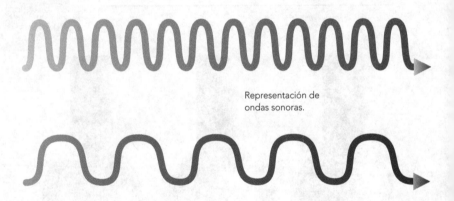

Representación de ondas sonoras.

El sonido es muy importante en nuestra vida. Podemos escuchar sonidos musicales y otros que nos advierten sobre algún suceso, como las alarmas de incendio o sismo; pero a la vez, debido a su intensidad y duración, algunos sonidos pueden perjudicarnos.

Fuentes de sonido	Intensidad (dB)
Sonido apenas audible	0
Caída de hojas/Respiración normal/Pisadas suaves	10-20
Murmullo/Oleaje suave/Biblioteca/Habitación en silencio	30-40
Tráfico ligero/Conversación normal/Oficina en horario de trabajo	50-60
Tráfico intenso/Interior de un coche a 90 km por hora/Camión pesado moviéndose	70/80
Aspiradora/Concierto de rock	90-100
Claxon de un coche/Explosión de petardos o cohetes empleados en pirotecnia	110-120
Avión en despegue/Ametralladora	130
Cohete espacial en despegue	180

En México existe una legislación oficial que marca los niveles de tolerancia al sonido para diferentes ámbitos. Establece, por ejemplo, una tolerancia de 63 dB para el día y 55 dB para la noche, y marca como el más adecuado el de 40 dB en sitios de trabajo y en el hogar.

Los niveles superiores a 40 dB, además de una prolongada exposición a ellos, pueden provocar desde nerviosismo, falta de atención, mal humor y cansancio, hasta daños graduales al sistema auditivo, que pueden llegar incluso a la sordera.

Todos los sonidos que escuchamos viajan a través del aire y llegan a nuestros oídos en forma de ondas. Las ondas sonoras recorren el oído externo a través del conducto auditivo, chocan con la membrana del tímpano (que se parece a la superficie de un tambor) y la hacen vibrar. El tímpano transmite esta vibración a los tres pequeñísimos huesos ubicados en el oído medio (el martillo, el yunque y el estribo) y de ahí al oído interno, donde la cóclea, que está llena de líquido, transforma la energía vibratoria en energía eléctrica, que es la forma en que el sonido llega finalmente al cerebro.

La ciencia y sus vínculos

El registro y conocimiento de los sismos es posible porque en 1904, México y otros 17 países se reunieron con el fin de crear una asociación sismológica internacional. El gobierno mexicano decretó la fundación del Servicio Sismológico Nacional (SSN) el 5 de septiembre de 1910, desde 1929 el SSN es parte del Instituto de Geofísica de la UNAM.

Los sismógrafos registran temblores en el territorio nacional, principalmente en las costas del océano Pacífico, Veracruz y el Valle de México. El objetivo del SSN es proporcionar información oportuna sobre la ocurrencia de sismos, así como evaluar y prevenir riesgos en el ámbito nacional.

Los registros históricos reportan terremotos en la República Mexicana desde 1475. Un gran sismo de magnitud 7.9 ocurrió en el año de 1911, curiosamente ocurrió el mismo día en que Madero entraba triunfalmente a la Ciudad de México. De inicios del siglo XX a la actualidad, los sismos han causado daños en: Veracruz (1973), ciudad de México (1957 y 1985), Colima (1993 y 2003) y Mexicali (2010).

Cómo es mi oído y qué daños puede sufrir

Completa, previene y relaciona.

Materiales:
* Una ilustración sin nombres de las partes del oído

A partir de la información que acaban de leer, identifiquen y señalen las partes del oído en la ilustración. Investiguen en fuentes como la biblioteca escolar e internet, entre otras.

Con el apoyo de tu maestro, tus padres o tutores, consulten a algún profesionista de la salud: enfermera, médico, audiólogo (especialista en sonido) u otorrinolaringólogo (especialista en laringe, nariz y oídos). Muéstrenle la ilustración que elaboraron y háganle las siguientes preguntas:

¿Qué sonidos del lugar donde vives te pueden causar algún daño o problema de salud?

¿Cuáles son esos daños?

¿Cómo se pueden prevenir?

Entre equipos comenten sus respuestas y escriban en su cuaderno una conclusión grupal.

Consulta en...
http://www.ssn.unam.mx/website/html/
    SSN/Doc/Sismo85/sismo85-7.htm
http//www.cenapred.unam.mx/es
http://www.ssn.unam.mx/website/jsp/
    brigada.jsp
http://www.coremisgm.gob.mx
http://www.sgm.gob.mx (Ir a
    documento en PDF Geología
    para Niños)
http://www.geofisica.unam.mx/museo/
    index.html (Ir a Estación sismológica)

Durante el desarrollo de este tema obtendrás conclusiones acerca del funcionamiento de un circuito eléctrico y reconocerás sus componentes como conductores o aislantes.

También identificarás aplicaciones del circuito eléctrico y las transformaciones de la electricidad en la vida diaria.

TEMA 2

Funcionamiento del circuito eléctrico y su aprovechamiento

En los días de tormenta, ¿oyes primero el trueno o ves primero la luz del rayo? En realidad percibes la luz del rayo y después de unos segundos oyes el trueno, que es el sonido que aquél genera. Eso significa que la luz viaja mucho más rápido que el sonido. La luz de los rayos tiene un origen eléctrico, así como varios fenómenos que estudiarás en este tema.

Rayo, descarga eléctrica que se produce en la atmósfera.

Construye un circuito eléctrico

Construye, observa y razona.

Materiales:
- Un foco de 1.5 volts
- Un *socket* para el foco
- Una pila de 1.5 volts
- 1/2 metro de cable del número 16
- Tijeras
- Cinta aislante

Trabajen en equipo.

Corten el cable en dos partes iguales.

Usen las tijeras para quitar 1 cm del plástico aislante del cable en ambos extremos de cada parte. En las cuatro puntas quedarán expuestos los alambres conductores de electricidad.

Unan el extremo de uno de los cables a uno de los extremos de la pila y el otro al *socket*. Hagan lo mismo con el otro cable, como se observa en la figura.

Retiren uno de los cables que están conectados a la pila y observen lo que sucede.

Contesten las siguientes preguntas considerando los resultados anteriores.

¿Para qué sirve cada uno de los materiales del circuito?

Cuando están conectados los dos cables a la pila y al foco, la corriente eléctrica está circulando por todos los componentes del circuito. ¿Qué sucede al retirar uno de los cables?

¿Qué función tiene un apagador como los que hay en tu casa?

En grupo comenten sus resultados.

Medidas de seguridad

Un gran número de accidentes son provocados por el mal manejo o la descompostura de aparatos eléctricos, por lo que es importante atender las siguientes medidas al trabajar con electricidad:

- Asegúrense de hacer estos experimentos con vigilancia y ayuda del maestro o de sus padres.
- Sigan las instrucciones que se les indiquen. Si tienen dudas, pregunten.
- Avisen inmediatamente si se presenta cualquier tipo de accidente, por muy pequeño que sea.
- No hagan experimentos con la corriente eléctrica de los enchufes; háganlos sólo con pilas.

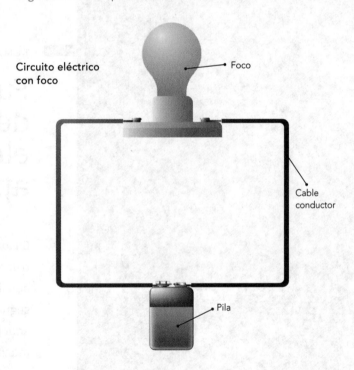

Circuito eléctrico con foco

Foco

Cable conductor

Pila

La energía eléctrica hace posible que funcione una gran variedad de aparatos; se desplaza a través de materiales como los cables, llamados conductores, y se puede producir en plantas generadoras de corriente. En la actividad anterior la fuente de energía eléctrica es la pila que genera electricidad.

Los circuitos eléctricos se construyen con generadores, conductores y dispositivos como un foco o una licuadora. Si no están conectados no hay corriente y, por tanto, el foco no se prende o la licuadora no funciona. Cuando se mantienen conectados los aparatos domésticos, consumen energía eléctrica.

¿Conductores o aislantes?

Clasifica, comprueba y analiza.

Materiales:

- El circuito eléctrico que armaron en la actividad anterior
- Un clavo
- Un trozo de madera
- Un pedazo de papel de aluminio
- Un pedazo de plástico
- Un pedazo de papel
- Una moneda
- Un pedazo de cartón
- Grafito de lápiz
- Un clip
- Una base de madera

Trabajen en equipo.

Para evitar un accidente coloquen los materiales sobre una base de madera en el momento de realizar la actividad.

Usen el circuito eléctrico que armaron en la actividad anterior.

Retiren uno de los extremos del cable conectado a la pila.

Conecten el cable libre al clavo y toquen con el lado opuesto del clavo el extremo libre de la pila.

Realicen el mismo procedimiento con cada uno de los materiales que se mencionan en la tabla siguiente.

Observen con qué materiales enciende el foco.

Completen el siguiente cuadro, indiquen en la primera columna Sí o No y marquen con una (✓) si es conductor o aislante.

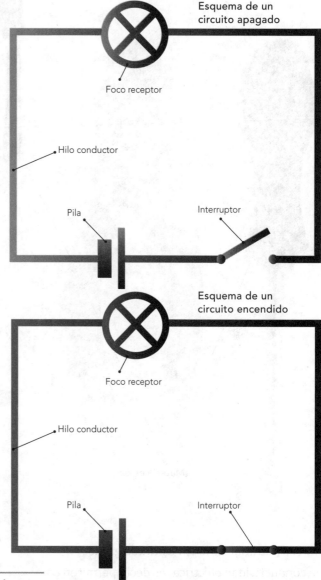

Esquema de un circuito apagado

Foco receptor

Hilo conductor

Pila

Interruptor

Esquema de un circuito encendido

Foco receptor

Hilo conductor

Pila

Interruptor

Material	¿Prendió el foco?	Conductor	Aislante
Trozo de madera			
Pedazo de papel aluminio			
Pedazo de plástico			
Pedazo de papel			
Moneda			
Pedazo de cartón			
Grafito de lápiz			
Clip			

Ahora consideren lo siguiente: en un juego varios niños formados en círculo juegan a pasarse la pelota, de repente se integran al círculo, dos adultos que no comprenden el juego y eso interrumpe el paso de la pelota. Si relacionamos este juego con la circulación de la corriente eléctrica, ¿a qué se debe que el foco no encienda con algunos materiales?

Contesten la siguiente pregunta considerando los resultados del cuadro.

¿Por qué encendió el foco con algunos materiales y con otros no?

Entre equipos comenten sus respuestas y escriban en su cuaderno una conclusión grupal.

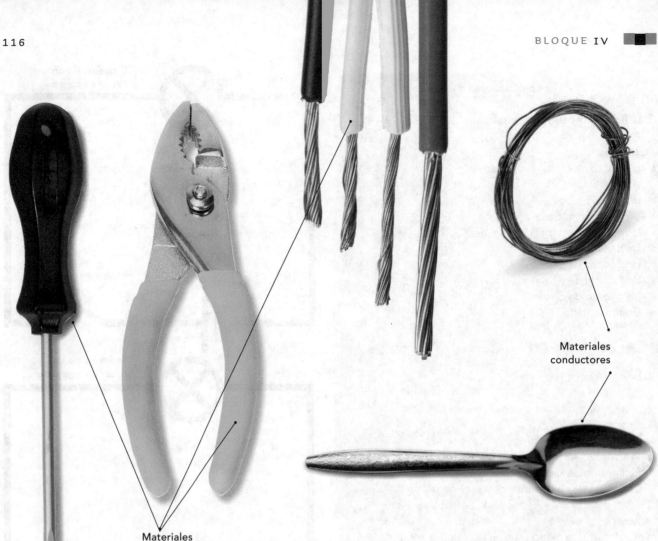

Materiales
aislantes

Materiales
conductores

Los materiales tienen distintos grados de conductividad eléctrica, es decir, permiten o no el paso de la corriente eléctrica con determinada facilidad. Considerando esta propiedad, los materiales se clasifican en conductores y aislantes.

Los materiales que conducen la electricidad con mayor facilidad son los metales: oro, plata, cobre, aluminio, zinc, latón, hierro, entre otros, mientras que materiales como la madera, el hule y el vidrio no lo hacen.

El cableado eléctrico de tu casa y tu escuela está hecho de cobre. Los electricistas utilizan guantes de carnaza y herramientas para evitar que la corriente eléctrica pase a su cuerpo y sufran un choque eléctrico (también llamado "toque") que les cause daño. Otra forma de evitar accidentes con los cables eléctricos es recubrirlos con plástico.

La energía eléctrica que hace funcionar algunos aparatos que utilizamos en la casa, en las escuelas y en las fábricas proviene de distintas fuentes. ¿Conoces algunas de ellas y cómo funcionan dichos aparatos?

Reloj digital accionado por una pila.

En las plantas o centrales eléctricas se genera la corriente eléctrica. Algunas centrales eléctricas utilizan carbón como combustible para calentar agua. El vapor que sale de los calentadores pone en movimiento las aspas de grandes turbinas y las hace girar, lo que origina que la energía calorífica se transforme en mecánica y ésta en eléctrica. La energía que así se obtiene se distribuye a través de conductores para que llegue a los hogares, fábricas, establecimientos y demás lugares donde se requiere.

Un dato interesante

El corazón bombea sangre a todo el cuerpo; esta acción la percibimos como latidos. En algunas personas, por problemas de salud, el corazón deja de latir y con esto puede sobrevenir la muerte. En algunos procedimientos de emergencia por paro cardiaco se emplea un aparato que libera una descarga eléctrica controlada en el pecho del paciente, misma que puede restablecer el latido de su corazón. Este aparato se llama desfibrilador.

El uso de este aparato es seguro para el operador y para el paciente, siempre y cuando se use siguiendo las instrucciones del fabricante y se aplique adecuadamente.

Presa hidroeléctrica. Texolo, Xico, Veracruz.

Central eléctrica. México.

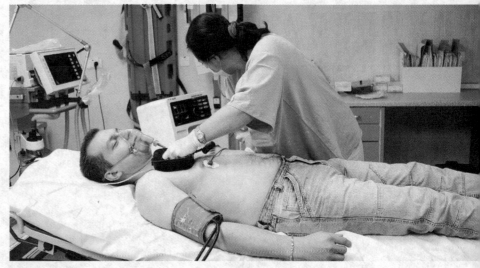

Procedimiento para restablecer el ritmo cardíaco con el uso de energía eléctrica.

Durante el desarrollo de este tema describirás procesos de transferencia del calor en algunos materiales, así como su importancia en la Naturaleza.

También reconocerás el uso de conductores y no conductores de calor en tu vida diaria y para la prevención de accidentes.

TEMA 3

La conducción del calor y su aprovechamiento

La utilidad de la energía se manifiesta en que, gracias a ella, el ser humano puede realizar procesos y trabajos que le garanticen su supervivencia. En el siguiente cuadro se muestran diversas fuentes y tipos de energía que los seres humanos hemos aprendido a aprovechar.

Fuente	Nombre	Manifestación	Usos
Sol	Solar	Lumínica y calor	Luz y calor
Viento	Eólica	Mecánica, eléctrica y calor	Movimiento y electricidad
Carbón, petróleo, gas natural	De combustión de fósiles	Luminosa, química, eléctrica y calor	Calor, luz y reacción química
Cascadas	Hidráulica	Mecánica (potencial y cinética)	Movimiento
Compuestos orgánicos	Biomásica	Lumínica y calor	Luz y calor
Átomos	Nuclear y atómica	Eléctrica	Electricidad
Olas del mar	Marítima	Mecánica	Movimiento
Sonido	Sonora	Mecánica y sonora	Movimiento y sonido

El uso de la energía es importante, pero es fundamental saber cómo se transfiere y las formas en que se manifiesta.

Líquido inflamable derramado ardiendo en el suelo.

Algunos aparatos que utilizamos cotidianamente transforman un tipo de energía en otro; por ejemplo, la plancha transforma la energía eléctrica en calor. La energía química de un cerillo se transforma en luz y calor cuando se quema. Al cocinar en una olla de vapor, la energía calorífica se convierte en energía mecánica cuando el vapor mueve la válvula y el vapor escapa emitiendo un sonido.

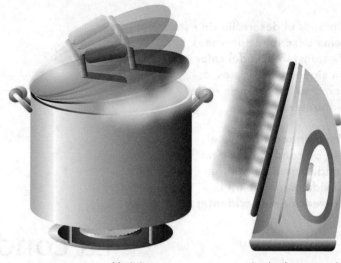

Luz que emite el cerillo.

Movimiento de la tapa.

La plancha convierte la electricidad en calor.

Calentamiento de un tubo en uno de sus extremos.

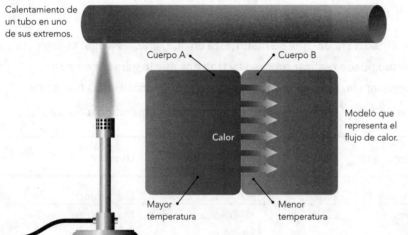

Cuerpo A   Cuerpo B

Calor

Modelo que representa el flujo de calor.

Mayor temperatura

Menor temperatura

Al calentar agua en una cacerola, la que está en contacto directo con el fondo de la cacerola se mueve hacia arriba, mientras que el agua más fría, que está en la superficie, desciende, ocupando el lugar que dejó la caliente. Así se efectúa un movimiento circular del agua llamado convección.

Varios hechos de nuestra vida diaria y diversos fenómenos de la Naturaleza se efectúan por el intercambio de energía en forma de calor. Dicho intercambio puede ocurrir por conducción, convección o radiación.

Al colocar una cuchara dentro del plato de sopa caliente, el utensilio también se calienta poco a poco, es decir, el calor se transfiere por conducción de la materia caliente a la más fría. Conforme el calor se transmite al objeto más frío, la temperatura de éste va aumentando hasta que ambos tienen la misma temperatura; en ese momento se detiene el flujo del calor entre estos cuerpos.

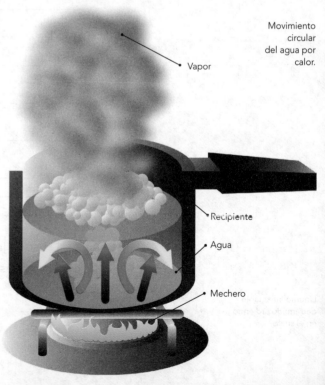

Movimiento circular del agua por calor.

Vapor

Recipiente

Agua

Mechero

Aserrín   Agua

Agua más
aserrín
más calor

Agua más
aserrín

Parte de la radiación infrarroja es absorbida y reemitida por los gases de efecto invernadero, lo que trae por consecuencia un calentamiento de la susperficie y la parte inferior de la atmósfera.

Parte de la radiación solar atraviesa la atmósfera.

Atmósfera

La superficie de la Tierra se calienta al absorber la mayor parte de la radiación solar.

La superficie de la Tierra emite radiación infrarroja.

Radiación del calor.

La Tierra recibe el calor del Sol por el proceso llamado radiación. Las ondas que desprende el Sol viajan por el espacio y al chocar con nuestro planeta lo calientan.

Un dato interesante

La temperatura promedio de la atmósfera y los océanos en nuestro planeta, que es de 15 °C, se está elevando por las acciones contaminantes del ser humano. Hay emisiones de gases que se acumulan en la atmósfera y evitan que el calor se disperse en el espacio, lo que causa el calentamiento del planeta.

Para ayudar a disminuir estos efectos se pueden tomar medidas como las siguientes:

- Apagar las luces y aparatos eléctricos que no se estén utilizando.
- Reciclar desechos.
- Poner la basura en su lugar y separarla en desechos orgánicos e inorgánicos.
- Evitar desperdiciar el agua.
- Evitar usar productos que dañen la capa de ozono.
- Utilizar automóviles que consuman menos combustible.
- Reforestar.

El aserrín

Comprueba, razona, observa.

Materiales:
- Una parrilla
- Un vaso de vidrio pequeño que pueda calentarse
- Cerillos
- 25 mL de agua
- 5 g de aserrín
- Franela

Trabajen en equipo.
    Agreguen el agua y el aserrín al vaso.
    Coloquen el vaso encima de la parrilla.
    Enciendan la parrilla.
    Empiecen a calentar con mucho cuidado el vaso con el agua y el aserrín.
    Observen cómo se mueve y hacia dónde se dirige el aserrín durante el calentamiento.
    Contesten las siguientes preguntas considerando sus observaciones.
    ¿Cómo se mueve el aserrín mientras se calienta el agua?
    ¿El agua se calienta de forma uniforme?
    ¿Qué papel desempeña el incremento de la temperatura del agua en el movimiento del aserrín?
    Entre equipos comenten sus respuestas y escriban en su cuaderno una conclusión grupal involucrando el concepto de convección.

Medidas de seguridad

- Realicen este experimento en equipo, bajo la supervisión de su maestro.
- Al calentar el vaso tengan cuidado de no tocarlo, para evitar quemaduras.
- Tomen el vaso con la franela y déjenlo encima de ella hasta que se enfríe.

No todos los materiales conducen el calor de la misma manera; por ejemplo, cuando queremos cocinar una salchicha en una fogata, para sostenerla utilizamos un tenedor con material aislante como madera o plástico, que son malos conductores de calor. Si usáramos un objeto de metal, que es un buen conductor, en poco tiempo se calentaría y podríamos quemarnos la mano.

Un dato interesante

Al colocar un termómetro en la axila de una persona, el calor fluye de la axila hacia el termómetro. Cuando éste alcanza la misma temperatura que el cuerpo, entonces el termómetro y el cuerpo están en equilibrio y ya no fluye más calor.

El alambre que derrite

Observa, identifica y comprueba.

Materiales:
- Tres tazas para café
- Tres cucharas cafeteras de metal
- Tres platos o trozos de madera
- Tres palillos
- Agua caliente, tibia y fría
- Tres trozos de mantequilla de tamaño similar (se puede usar chocolate o cera).

Trabajen en equipo.
1. Pongan en una taza el agua caliente y coloquen una cuchara durante tres minutos.
2. Tengan cuidado al tomar la cuchara y sacarla del agua. Colóquenla sobre el plato o el trozo de madera.
3. Pongan un trozo de mantequilla sobre la cuchara y con el palillo mezclen la mantequilla durante un minuto.
4. Observen detenidamente los cambios en la mantequilla. Repitan los pasos 2 al 5 con agua tibia y agua fría.

Contesten las siguientes preguntas.
   ¿Qué le pasó a la mantequilla?
   ¿Qué cambios provocó la temperatura del agua en la mantequilla?
   ¿Se alteró la forma y el color de la mantequilla?
   ¿La cuchara sufrió alguna transformación? ¿Por qué?
   En equipo comenten sus respuestas y escriban en su cuaderno una conclusión que involucre el concepto de conducción de calor. Reflexionen y compártanlo con el grupo.

Medidas de seguridad
   Recuerden que el exceso de calor es considerado como un agente físico nocivo. Por eso deben tomar en consideración:

- Realicen el experimento bajo la supervisión de su maestro.
- Eviten calentar el agua cerca de materiales inflamables como cartón, papel, tela, entre otros.
- Al utilizar la parrilla o lo que estén usando para calentar, supervisen cuando ésta se encuentre encendida.
- Al vaciar el agua, eviten tocar directamente la cuchara, usen guantes. Así previenen quemaduras en cualquier parte de su cuerpo o la de sus compañeros de equipo.

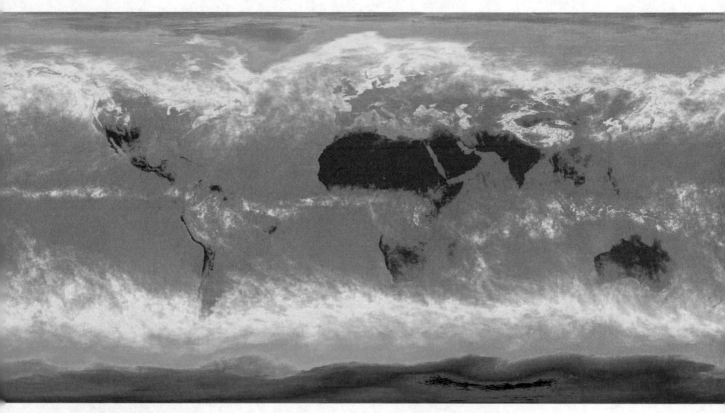

Termografía de la Tierra. Los colores
muestran la variación de la temperatura.

Termografía de personas en
un parque infantil.

Un dato interesante

Una aplicación de la radiación térmica es cuando se hace una termografía para identificar zonas del cuerpo humano con alguna alteración, las que se reflejan en diferentes temperaturas. Con un aparato especial se detectan zonas donde hay algún tipo de tumor, mala circulación por fumar, fiebre, etcétera. Las zonas más frías se muestran con tonos azules y las más calientes van del amarillo al rojo.

Al desarrollar este proyecto aplicarás tus conocimientos sobre la electricidad y el calor, para explicar el funcionamiento de dispositivos de uso común.

También diseñarás y construirás un dispositivo que sirva para atender alguna necesidad.

PROYECTO

Dispositivos de utilidad práctica

Es el momento de aplicar tus conocimientos, habilidades y actitudes. Organícense en equipos y lleven a cabo una investigación sobre el funcionamiento de un dispositivo de utilidad práctica, por ejemplo una parrilla eléctrica, y los materiales que pueden utilizar para elaborar un recipiente térmico.

Sigan los pasos de la planeación para realizar el proyecto.

Planeación

Elijan un título para delimitar qué dispositivo en particular van a proponer.

Consideren lo que requieren para realizar el proyecto: lista de materiales, tareas, investigaciones, experimentos.

Realicen diagramas y esquemas para guiar el desarrollo de su dispositivo. Para construirlo consideren las siguientes preguntas:

¿Refleja un hecho de la Naturaleza?

¿Tiene alguna utilidad práctica?

¿Se requieren cuidados o condiciones especiales para su mantenimiento y operación?

¿Qué materiales podrían servir para fabricarlo?

¿Se pueden utilizar materiales de reúso o reciclados?

Desarrollo

Cada integrante del equipo tendrá una labor específica, con el propósito de que todos participen y para que el trabajo en equipo sea organizado y colaborativo.

Comunicación

Presenten a la comunidad los resultados obtenidos de su investigación y el dispositivo a través de modelos o maquetas. Para ello pueden elaborar un informe en forma de periódico mural, folleto, presentación en computadora, conferencia, boletín, tríptico, cartel, entre otras opciones.

En equipo identifiquen los logros, las dificultades, retos y oportunidades que implicó la fabricación del producto elaborado y el papel del trabajo en equipo para lograr nuevos aprendizajes y aplicaciones en beneficio de su comunidad.

En grupo, intercambien puntos de vista en relación con los dispositivos elaborados por otros equipos. Se sugiere que realicen una comparación de los productos realizados en el grupo, a fin de reflexionar acerca de la diversidad de soluciones en el desarrollo del dispositivo, por ejemplo, acerca de los materiales empleados, las dificultades surgidas, el manejo y funcionamiento del dispositivo.

Con base en el intercambio de experiencias entre los equipos al exponer sus proyectos, pueden contar con elementos para proponer adecuaciones a su dispositivo.

Algunas de las preguntas que pueden servir de referencia para autoevaluar y coevaluar sus artefactos pueden ser las siguientes:

Efectividad: ¿funciona?

Confiabilidad: ¿funciona siempre?

Durabilidad: ¿resiste el uso?

Beneficios: ¿cómo ayuda a las personas?

Costo: ¿es razonable el costo monetario y el esfuerzo humano implicados?

Relación con el ambiente: ¿puede evitar el consumo innecesario de energía y recursos? ¿Puede ser una alternativa para disminuir la contaminación?

Evaluación

Al realizar este ejercicio podrás conocer tu desempeño en el trabajo en equipo. Es importante que reflexiones al respecto para mejorar cada vez más.

	Sí	No	A veces	Qué puedo hacer para mejorar
Identifiqué situaciones problemáticas o hice preguntas de interés personal para desarrollar mi proyecto.	○	○	○	
Elegí información confiable de diversas fuentes para mi proyecto, a fin de poder reflexionar sobre ella.	○	○	○	
Compartí información con los miembros de mi equipo y los escuché.	○	○	○	

Evaluación

Subraya la respuesta correcta.

1. ¿Cuál de las siguientes situaciones puede causar daños al oído?

a) Conversación.
b) Sonidos del campo.
c) Biblioteca.
d) Perforadora de concreto.

2. ¿Qué material funciona como aislante eléctrico?

a) Aluminio.
b) Hierro.
c) Madera.
d) Cobre.

3. ¿Qué opción representa la transformación de energía cuando usas una plancha?

a) Eléctrica ⟶ Calorífica.
b) Calorífica ⟶ Eléctrica.
c) Mecánica ⟶ Calorífica.
d) Eléctrica ⟶ Mecánica.

Autoevaluación

Es hora de que revises lo que has aprendido después de trabajar en este bloque. Lee cada enunciado y marca con una (✓) el nivel que hayas logrado alcanzar. Así podrás conocer cómo fue tu desempeño al realizar el trabajo en equipo y de manera personal.

	Siempre	A veces	Casi nunca
Relaciono la vibración de los materiales con la propagación del sonido.	○	○	○
Relaciono el incremento en la intensidad de los sonidos y sus efectos en la audición.	○	○	○

¿En qué otras situaciones cotidianas puedes aplicar lo que aprendiste sobre electricidad y calor?

_____

_____

_____

	Siempre	A veces	Casi nunca
Entregué mis trabajos en los tiempos acordados.	○	○	○
Participé de manera colaborativa.	○	○	○
Trabajé con mi equipo de manera ordenada y organizada.	○	○	○

Me propongo mejorar en: _____

_____

¿Cómo conocemos?

ÁMBITOS:

- EL AMBIENTE Y LA SALUD

- EL CAMBIO Y LAS INTERACCIONES

- LA TECNOLOGÍA

- EL CONOCIMIENTO CIENTÍFICO

Imagen de la galaxia Remolino tomada por el telescopio espacial *Hubble*. Esta galaxia espiral se encuentra a unos 15 millones de años luz de la Tierra, en la constelación Canes Venatici.

Durante el desarrollo de este tema estudiarás algunas características de los componentes del Sistema Solar y describirás su organización y su movimiento.

También reconocerás la importancia del telescopio para el conocimiento del Sistema Solar.

Los componentes del Sistema Solar tienen diferentes características. Imágenes de Mercurio, Venus, Tierra (la Luna), Marte, Júpiter, Saturno, Urano y Neptuno.

En la antigüedad se hicieron observaciones del cielo. Imagen de la Esfera Ecuatorial, en el observatorio de Tycho Brahe, publicada en *Le Grand Atlas Blaviane de Cosmografía*, por el cartógrafo holandés Johan Blaeu.

TEMA 1

Descripción del Sistema Solar

Los componentes del Sistema Solar

El Sistema Solar está formado por diversos componentes, entre los que se encuentran el Sol, ocho planetas, numerosos satélites y aproximadamente 100 mil asteroides.

Desde la antigüedad, la humanidad se interesó por los cuerpos más brillantes y destacados del cielo. La curiosidad surgió al notar que algunas luces parecían estar casi fijas y que otras, al moverse, pasaban una y otra vez por el mismo punto, repitiendo su recorrido en determinados periodos. Al prestar atención a dichos fenómenos se hicieron múltiples preguntas, y al reflexionar pudieron elaborar, con el paso del tiempo, diversas explicaciones.

Es probable que alguna vez tú también hayas tenido dudas; por ejemplo, ¿alguna vez te has preguntado cómo está compuesto el Sistema Solar, qué forma tienen sus componentes, cuál de ellos es el más grande, cuál es el más cercano y cuál el más alejado del Sol? A continuación te invitamos a conocer las respuestas que la ciencia ha dado a estas preguntas.

El Sol

El Sol es una estrella, el cuerpo de mayor tamaño del Sistema Solar. Se ubica en el centro de éste, tiene un radio de 696 000 km y se mueve girando sobre su eje de rotación. Casi toda la materia del Sistema Solar se encuentra en el Sol; la que resta, que es menos del uno por ciento, corresponde a los demás componentes.

El Sol emite luz propia. Al comparar su brillantez y tamaño con los de las demás estrellas en el cielo, aparenta ser más grande y tener más brillo debido a su cercanía con la Tierra.

Se ha calculado que en su superficie la temperatura es de aproximadamente 6 000 °C, y en su parte central de 15 000 000 °C.

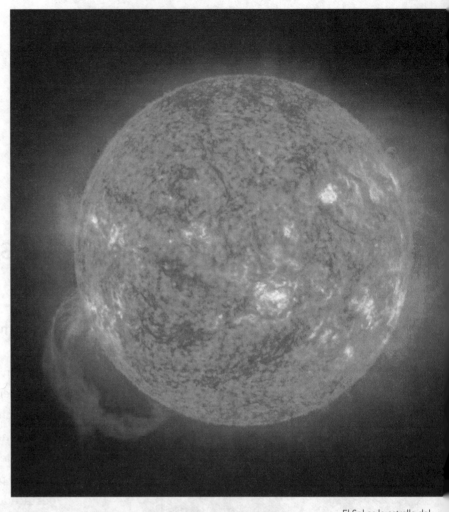

El Sol es la estrella del Sistema Solar más cercana a la Tierra.

Alrededor del Sol se ubican cuerpos como los planetas, planetas enanos o planetoides, satélites naturales, asteroides, cometas y polvo, entre otros.

Planetas, satélites, asteroides y otros cuerpos giran alrededor del Sol.

Los ocho planetas

La palabra *planeta* es de origen griego y significa "vagabundo" o "errante". Son ocho los planetas que forman parte del Sistema Solar; reflejan la luz del Sol, tienen forma semejante a una esfera y su tamaño es más pequeño que el del Sol.

En la región interior de nuestro sistema planetario se encuentran: Mercurio, Venus, Tierra y Marte, que son planetas rocosos.

En la zona exterior del Sistema Solar se ubican los planetas Júpiter, Saturno, Urano y Neptuno. Son cuerpos gaseosos, con anillos y, debido a su tamaño se les considera planetas gigantes; por ejemplo, el diámetro de Júpiter es aproximadamente 12 veces más grande que el de nuestro planeta, y el de Saturno es casi diez veces mayor.

Los principales movimientos de los ocho planetas son dos, que se conocen como rotación y traslación. Al rotar, giran sobre sí mismos alrededor de un eje imaginario denominado eje de rotación, y debido a ese movimiento tienen día y noche. Los más pequeños giran de manera más lenta que los cuatro más grandes.

Al trasladarse siguen trayectorias elípticas alrededor del Sol. Cada recorrido de su órbita determina un año del planeta, que tiene una duración distinta en cada caso.

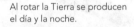

Al rotar la Tierra se producen el día y la noche.

Encuentra su distancia

Investiga, registra y compara.

Observa la imagen del Sistema Solar de esta página. Como te podrás dar cuenta, los planetas se encuentran ubicados a diferentes distancias respecto del Sol. Respondan en equipo: ¿cuál es la distancia de cada uno respecto al Sol? Para hacerlo, investiguen en diversas fuentes, registren los datos en su cuaderno y luego compárenlos con los de sus compañeros de grupo.

Alrededor del Sol giran diversos cuerpos que describen trayectorias en forma de elipse.

Las distancias entre los planetas y el Sol

Investiga, analiza y reflexiona.

Materiales:
- Cinta métrica
- 5 m de hilo de cáñamo
- 2 pliegos de cartulina
- Cinta adhesiva
- Marcadores de colores

Trabajen en equipo.

Elaboren un modelo a escala de las distancias entre el Sol y los planetas del Sistema Solar. Luego, cada equipo lo explicará a los demás integrantes del grupo. Les sugerimos usar una escala de 1 cm por cada 10 millones de km, de modo que las distancias respecto del Sol sean las siguientes:

- Mercurio: 6 cm
- Venus: 11 cm
- Tierra: 15 cm
- Marte: 23 cm
- Júpiter: 78 cm
- Saturno: 143 cm
- Urano: 288 cm
- Neptuno: 450 cm

Con una cartulina hagan nueve letreros con el nombre de los ocho planetas y el del Sol, sin tomar en cuenta ninguna escala, hagan nueve círculos para representarlos.

Iluminen el círculo del Sol de amarillo y anaranjado; el de Mercurio, de gris; el de Venus, de amarillo; el de la Tierra, de colores azul, verde y café; el de Marte, de rojo; el de Júpiter, con franjas de color anaranjado, café y rojo; el de Saturno, de café y amarillo; el de Urano, de azul verdoso, y el de Neptuno, de azul claro.

Coloquen el hilo de cáñamo en el suelo, ya sea en el salón de clases o en el patio de la escuela. Fijen el hilo y en uno de los extremos peguen el letrero y el círculo del Sol. Tomen en cuenta las distancias y, a partir del Sol, peguen en el hilo los letreros y el círculo correspondiente para señalar la ubicación de cada uno de los planetas.

En este modelo podrán observar y hacer un análisis de las distancias entre el Sol y los planetas y entre los planetas entre sí, compárenlas y reflexionen acerca de ellas, pero tomen en cuenta que, generalmente, los planetas no están alineados en el Sistema Solar y que sus órbitas alrededor del Sol son independientes una de otra. Anoten sus reflexiones en sus cuadernos. Recuerden buscar el significado de las palabras que no hayan entendido.

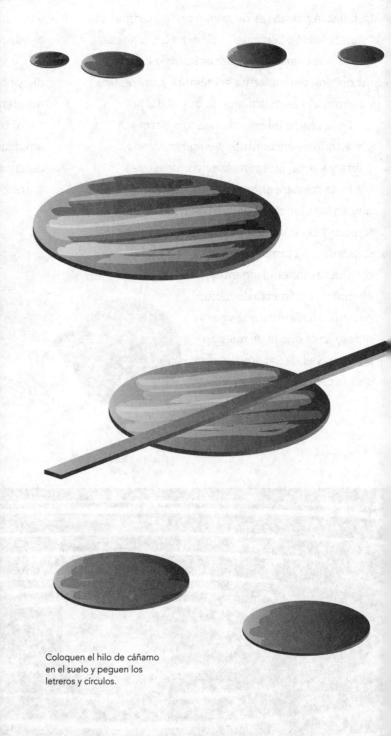

Coloquen el hilo de cáñamo en el suelo y peguen los letreros y círculos.

Consulta en...
El libro *El Universo* de la Biblioteca Escolar.

Los satélites y los asteroides

Además de los planetas y el Sol, en el Sistema Solar hay otros cuerpos que son visibles en el cielo y que son conocidos como satélites y asteroides.

Asteroides. Alrededor del Sol se mueve en órbitas elípticas un grupo de cuerpos metálicos y rocosos que forma el cinturón de asteroides. Son muy pequeños y de forma irregular, por lo que no se les considera planetas. La palabra *asteroide* se empleó por primera vez en el siglo XIX, es de origen griego y significa "similar a una estrella".

Cinturón de asteroides.

Se ha calculado que en el Sistema Solar existen cien mil asteroides y la mayor parte de ellos se encuentran ubicados en una especie de cinturón situado entre Júpiter y Marte. Algunos tienen órbitas más alejadas del planeta Saturno, otros se acercan mucho al Sol y, en ocasiones, cruzan la órbita de la Tierra.

Los asteroides son grandes rocas sobrantes de la formación del Sistema Solar.

Imagen del
asteroide
llamado
951 Gaspra.

En el Sistema Solar hay otros cuerpos más pequeños llamados meteoroides, algunos de ellos provenientes de asteroides. Al desplazarse, pasan cerca de los planetas y pueden atraerlos. En el caso de la Tierra, al entrar en su atmósfera se calientan y algunos trozos se convierten en vapor, generan luz y reciben el nombre de meteoros. Cuando el meteoro no se quema totalmente, el residuo llega hasta la superficie terrestre y choca en ella; entonces recibe el nombre de meteorito.

Los asteroides también se conocen como cuerpos menores. Los hay de distintos tamaños, por ejemplo, el que se llama Pallas tiene un diámetro de 522 km, y el asteroide Davida mide 336 km.

Un dato interesante

En 1991 la nave espacial *Galileo* llegó por primera vez hasta el asteroide llamado 951 Gaspra. A partir de esa fecha, las naves espaciales que han viajado a través del cinturón de asteroides han recabado diversa información; por ejemplo, ahora se sabe que estos cuerpos son rocosos, metálicos y se encuentran separados por enormes distancias.

Hoba es el meteorito más grande conocido en la Tierra, se encuentra en la República de Namibia, al sudoeste de África.

Satélites. Los satélites son objetos que se mueven alrededor de otro cuerpo en el espacio. Se clasifican en satélites naturales y satélites artificiales.

Los satélites naturales se ubican alrededor de los planetas; por ejemplo, la Luna es el satélite natural de la Tierra. Tienen movimientos de rotación y de traslación. Al girar, lo hacen alrededor de un eje de rotación imaginario. Al trasladarse describen trayectorias con forma de elipse.

Montaje de imágenes con algunos satélites naturales de Saturno, obtenidas por el *Voyager 1*.

Los planetas gigantes, Júpiter y Saturno, tienen sistemas de satélites naturales que se consideran modelos en pequeño del Sistema Solar.

Los satélites naturales no emiten luz propia; aunque la Luna parece hacerlo, sólo refleja la que recibe del Sol. Su tamaño es diverso, pero generalmente son más pequeños comparados con el del astro que orbitan. Tienen forma esférica o irregular.

En la actualidad se conocen 128 satélites naturales en el Sistema Solar, pero, excepto la Luna, no son observables a simple vista.

La Luna, satélite natural de la Tierra.

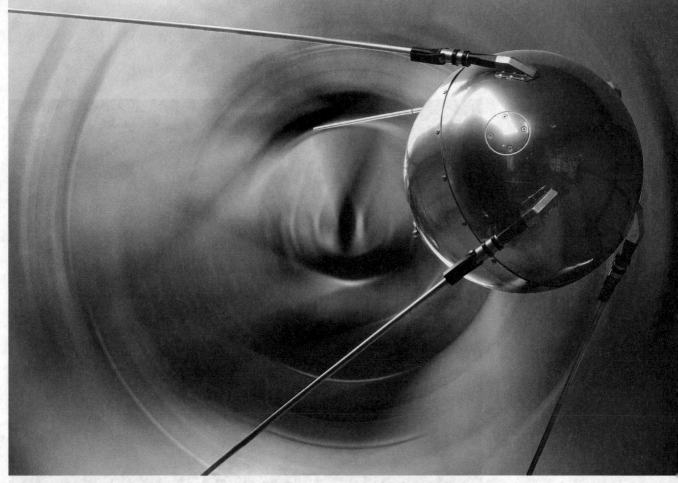

Sputnik I, satélite ruso.

Los satélites artificiales fueron construidos y puestos en órbita por los seres humanos. Presentan diferentes formas y tamaños. Se pueden ubicar y mover, desplazándose alrededor de diversos cuerpos como los planetas, estrellas, satélites naturales y asteroides.

Este tipo de satélites pueden o no estar tripulados. Son instrumentos que fueron creados principalmente con el propósito de obtener información y transmitirla para diversas actividades, como la exploración de la Tierra, la investigación del Sistema Solar, la radiodifusión y la radionavegación.

El 4 de octubre de 1957 la Unión Soviética, actualmente llamada Federación Rusa, lanzó al espacio el primer satélite, el *Sputnik I.* Hasta hoy se han creado y puesto en órbita más de cinco mil satélites artificiales.

Desde esa fecha, la tecnología satelital se ha desarrollado a tal punto que los satélites actuales, que giran alrededor de la Tierra, tienen la capacidad de distinguir entre un camión y una motocicleta desde miles de kilómetros de distancia.

Nave espacial Kliper.

Compañeros inseparables

Investiga, analiza y comunica.

Organicen equipos para investigar en diferentes fuentes de información como internet y libros de la biblioteca escolar acerca de los satélites naturales descubiertos hasta ahora en los planetas del Sistema Solar. Con la información recabada completen la siguiente tabla de datos y analícenla.

Planeta	Satélites naturales
Mercurio	
Venus	0
Tierra	1
Marte	
Júpiter	
Saturno	61
Urano	
Neptuno	13

Saturno y dos de sus lunas, Tethys (arriba) y Dione. Tomada desde el *Voyager 1*.

Consulten la tabla para responder las siguientes preguntas:

a) ¿Qué planeta tiene más satélites?
b) ¿Qué planeta no tiene satélites?
c) ¿Cuál es el que tiene uno solo?
d) ¿Cuántos satélites tiene Marte?

Para finalizar esta actividad, por equipos, dibujen el cinturón de asteroides y los planetas con sus satélites, y elaboren un periódico mural para comunicar a la comunidad escolar lo que aprendieron de este tema.

Io, luna de Júpiter.

Júpiter y una de sus lunas. Imagen tomada por la sonda *Galileo*.

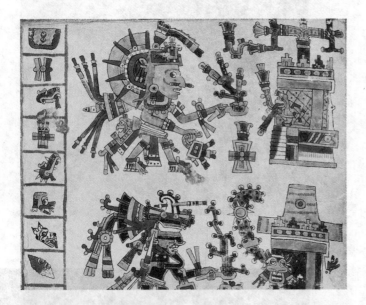

La ciencia y sus vínculos

En el pasado los pueblos elaboraron relatos con respecto al Sol y la Luna, en los que estos cuerpos celestes personificaban a los dioses que, según sus creencias, habían participado en la creación del mundo. Estas narraciones que aluden de forma general al nacimiento del Universo son conocidas actualmente como mitos. Por ejemplo, una versión de la historia mesoamericana del Quinto Sol, elaborada entre los siglos III y VIII, dice así:

[…] antes de que hubiese día en el mundo […] se juntaron los dioses en aquel lugar que se llama Teotihuacan […] y dijeron: […] "¿Quién tendrá cargo de alumbrar al mundo?" […] Tecuciztécatl dijo: "Yo tomo cargo de alumbrar el mundo". Luego dijeron: "¿Quién será otro?"

Los dioses habláronle a Nanahuatzin. Y él […] obedeció.

Todos los dioses se pusieron en rededor de la hoguera. Luego hablaron los dioses: "¡Ea pues, Tecuciztécatl, entra en el fuego!" […] pero sintió el calor del fuego y hubo miedo.

"¡Ea pues, Nanahuatzin, prueba tú!" […] y echóse en el fuego.

Después que ambos se hubieron arrojado al fuego, Nanahuatzin […] y Tecuciztécatl […] salieron hechos Sol y Luna. Primero salió el Sol y tras él salió la Luna. ■■■

Fray Bernardino de Sahagún, *Historia general de las cosas de Nueva España*, México, Porrúa, 2006.

Lo que vemos en el cielo

La observación del cielo se inició en la Antigüedad y también fue objeto de estudio durante la Edad Media, es decir, del siglo v hasta el xv. En la actualidad se siguen realizando múltiples investigaciones acerca de él. Tú también puedes hacerlo al desarrollar la siguiente actividad.

Observación del cielo en el siglo XIII.

Observación del cielo nocturno

Observa, analiza e identifica.

¿Han visto los planetas en el cielo? ¿Pueden identificar algunos de ellos? ¿Qué detalles de la Luna se pueden observar a simple vista? Organícense en equipo e investíguenlo.

Para hacerlo necesitan tomar en cuenta que una característica que nos permite diferenciar una estrella de un planeta en el cielo es su luz: todas las estrellas, excepto el Sol, se encuentran distantes de la Tierra, su luz llega desde muy lejos, es más débil y parpadea.

Los planetas se encuentran más cercanos a la Tierra; la luz que éstos reflejan del Sol no centellea, es decir, su intensidad no cambia constantemente.

A continuación se les presentan dos opciones para llevar a cabo esta actividad, ya sea que vivan dentro de una ciudad o fuera de ella.

Primera opción. Si viven fuera de la ciudad, procuren efectuar sus observaciones en un lugar poco iluminado por las luces de su localidad y cuando haya Luna nueva. Durante el desarrollo, anoten en sus cuadernos el resultado de lo que observen.

Si hay Luna nueva, el cuerpo celeste más brillante después del Sol es Venus, el llamado lucero de la mañana o lucero de la tarde; al atardecer puede observarse cerca del horizonte, en el oeste del cielo, o al amanecer, en el sureste.

Un astro de brillo especial, de color rojo, es Marte. Lo pueden ver durante la noche. Cuando este planeta se encuentra más cerca de la Tierra es, después de Venus, el cuerpo con más brillo en el cielo nocturno. Si Marte está alejado de nuestro planeta va a parecer una estrella con poco brillo.

Mercurio es más difícil de observar, porque sólo aparece en el horizonte, al amanecer o anochecer, con un brillo rojizo y muy cerca del Sol.

Marte visto a través
de un telescopio.

Venus visto a
través de un
telescopio.

Mercurio visto
a través de un
telescopio.

Segunda opción. Si viven en la ciudad, una noche, cuando haya Luna llena, obsérvenla. ¿Qué detalles de la superficie de la Luna pueden ver? ¿Qué es lo que no pueden observar a simple vista de ella?

Ya sea que hayan realizado la actividad en la ciudad o fuera de ella, comparen el resultado de sus observaciones con las imágenes de esta página. ¿Son iguales o diferentes de lo que observaron? Expliquen sus respuestas.

Para tener conocimientos más detallados acerca de los cuerpos que observaron necesitan instrumentos. Investiguen acerca de ellos y respondan: ¿qué instrumentos se podrían usar para observar con detalle los cuerpos celestes? Complementen su investigación, observen videos y animaciones de internet con el propósito de identificar las características de los componentes del Sistema Solar.

Como parte final de esta actividad, de manera individual haz un resumen acerca de lo que aprendiste de este tema. Comparte tus reflexiones con tus compañeros.

Consulta en...
Libros de la biblioteca escolar.

Júpiter visto
a través de
un telescopio.

Un dato interesante

A principios de la Edad del Bronce fue construido un centro ceremonial religioso que, aunque no se tiene certeza, se piensa que pudo haber sido utilizado para la observación astronómica y para rendir culto al Sol.

Este lugar se llama Stonehenge y se encuentra en Inglaterra. Es una construcción de piedras organizadas en forma circular. La orientación y ubicación de las piedras tienen relación con los movimientos de la Luna y con las estaciones del año. Su parte central está constituida de piedras azules que pesan aproximadamente cinco toneladas, las que fueron trasladadas desde las montañas del sur de Gales hasta este centro de observación astronómica. Las investigaciones señalan que para la construcción, las piedras fueron arrastradas por grupos de 600 hombres, a lo largo de 240 km. ¡Imagínate qué trabajo de colaboración en equipo!

La importancia de la invención del telescopio para el conocimiento del Sistema Solar

Durante mucho tiempo no fue posible entender el Sistema Solar tal y como lo acabas de estudiar en este bloque. A finales del siglo XVI, los seres humanos se explicaban el cosmos de una manera diferente; por ejemplo, pensaban que Júpiter y Mercurio giraban alrededor de la Tierra y también creían que la Luna era un cuerpo celeste que tenía la superficie lisa. ¿Qué supones que hizo que la gente cambiara esta forma de pensar? Escribe tu reflexión en el cuaderno.

Las piedras de Stonehenge. Centro astronómico construido entre el 2200 y 1600 a.C.

Los instrumentos para la observación del cielo

La humanidad ha usado diferentes métodos e instrumentos para observar el cielo; por ejemplo, algunas culturas hicieron sus observaciones desde construcciones que hoy conocemos como observatorios, como el Círculo de Goseck en Alemania, que fue construido aproximadamente en el 5000 a.C., y El Caracol en Chichén Itzá, que fue construido entre los años 886 y 968 d.C.

El Caracol. Chichén-Itzá, Yucatán.

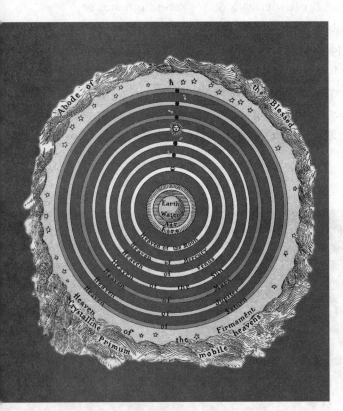

El sistema geocéntrico de Ptolomeo.

Desde la antigüedad hasta el siglo XV los instrumentos para observar el cielo no variaron mucho y los conocimientos acerca de los cuerpos celestes tampoco: se aceptó el sistema geocéntrico de Ptolomeo que ubicaba a la Tierra como un cuerpo fijo en el centro del Universo, ya que el resultado de las observaciones del cielo indicaban que el Sol era el que se movía alrededor de la Tierra.

Gracias a tales observaciones los griegos, al igual que otros pueblos como los babilonios y los mayas, crearon modelos para explicar los movimientos de los cuerpos celestes; por ejemplo, en el año 450 a.C. clasificaron a los astros en estrellas y planetas.

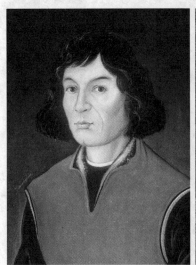

Nicolás Copérnico (1473-1543).

Galileo Galilei (1564-1642).

Galileo Galilei mostrando
su telescopio al duque de Venecia,
Italia, en agosto de 1609.

La forma de estudiar los cuerpos celestes y los instrumentos para hacerlo, se transformaron en Europa de manera drástica a principios del siglo XVII. En aquel tiempo vivió en Génova, Italia, Galileo Galilei, un astrónomo y matemático que comenzó a explorar la Luna con un instrumento sencillo, como relata el escritor y divulgador de la ciencia Paul Strathern:

Galileo miró por su telescopio [...] En lugar de un disco semicircular y radiante vio un cuerpo esférico grande y misterioso, dividido en dos por una sombra [...] un examen más detenido de la superficie reveló cráteres redondos inconfundibles, cordilleras y lo que parecían ser mares. [...] no tardó en ser capaz de predecir los eclipses de las lunas de Júpiter. Ésta habría de constituir la más poderosa evidencia obtenida [...] a favor del sistema copernicano.

Telescopios de Galileo Galilei.

Galileo descubrió que la Luna era como la Tierra, con montañas, valles y cráteres; no era un cuerpo liso como se creyó durante cientos de años. Ello significaba que la Tierra era sólo un cuerpo celeste más.

Al dirigir su telescopio hacia Júpiter, pudo observar cuatro de sus satélites naturales, con órbitas en el mismo plano.

Sus descubrimientos cambiaron la forma de explicar el cosmos.

Fuente: Paul Strathern, *Galileo y el Sistema Solar*, México, Siglo XXI, 1999, p.?.

Del siglo XVII a la fecha, los telescopios, instrumentos que permiten observar objetos lejanos, siguieron perfeccionándose con los avances tecnológicos y científicos. En la actualidad son más precisos y complejos y algunos han sido puestos en órbita alrededor de la Tierra, como el *Hubble* (1990), el *Chandra* (1999) y el *Spitzer* (2003).

Otros más funcionan desde la superficie terrestre, como es el caso del Gran Telescopio Milimétrico en Puebla.

Telescopio
Hubble.

Lanzamiento del
telescopio espacial
Spitzer.

Telescopio
Chandra.

Antes y después de Galileo

Investiga, reflexiona y comunica.

Una manera de ordenar los acontecimientos y entender de manera sencilla lo sucedido a lo largo de la historia es por medio de una línea del tiempo. Organicen equipos para llevar a cabo la siguiente actividad.

Materiales:

- Una cartulina
- Pegamento
- Marcadores de colores
- Un lápiz
- Tijeras

Comenten en equipo el contenido del apartado "Los instrumentos para la observación del cielo", piensen en los sucesos que en él se narran. Luego, elaboren una línea del tiempo para ordenar los acontecimientos.

Investiguen en diferentes fuentes de información acerca de los telescopios que se usan en la actualidad para hacer investigaciones acerca del Sistema Solar, como es el caso del *Hubble* y el Gran Telescopio Milimétrico.

Después, en equipo, reflexionen en torno a la lectura y respondan: ¿qué sucedió en el siglo XVII que hizo que la gente cambiara su forma de pensar respecto de los cuerpos que observaban en el cielo? ¿Qué cambios de la imagen de la Luna pudo observar Galileo?

Cada equipo pasará al frente del grupo para explicar su línea del tiempo y las respuestas a las preguntas. Para finalizar esta actividad, peguen sus trabajos en el periódico mural de la escuela.

Consulta en...
http://www.planetario.ipn.mx/

Obra que muestra cuatro etapas en la formación del Sistema Solar, en la parte superior el joven Sol acaba de encenderse entre una nube de gas y polvo. Luego, algunos materiales de la nube de gas formaron un disco. Más adelante los gases y el polvo se unieron y formaron los primeros cuerpos sólidos que, posteriormente, darían lugar a los planetas. Se cree que el Sistema Solar se formó hace unos 4500 millones de años.

Al desarrollar este proyecto definirás un plan de acción, participarás de manera colaborativa y utilizarás distintos medios de comunicación para obtener información sobre temas como la prevención de riesgos en la adolescencia, la dinámica del ambiente, la propagación del sonido o la corriente eléctrica.

PROYECTO

Caminos para la convivencia y la reflexión

Su proyecto es una investigación, y para desarrollarlo es necesario que respondan a preguntas que les permitan aclarar y planificar lo que quieren investigar; es una tarea personal y comunitaria, oriéntenla a realizar las actividades de modo que se favorezcan la comunicación y las buenas relaciones con su familia, vecinos y compañeros de escuela.

Organícense en equipos para realizar las actividades con la colaboración de su comunidad escolar y de personas del lugar donde viven.

Obtengan la información necesaria para su investigación por medio de entrevistas al personal de un centro de salud o a bomberos. Elaboren un directorio de los lugares que pueden visitar y consideren los servicios que ofrecen.

Recuerden que acciones como la organización y el registro de datos pueden ser útiles al llevar a cabo sus investigaciones. Las ideas y medidas de prevención que propongan al equipo, no sólo serán valiosas para el resultado del proyecto, sino que también serán parte de un compromiso con su comunidad educativa, así como fuera de la escuela.

Al planear su proyecto, discútanlo con su profesora para que juntos comenten sobre las posibilidades de llevarlo a cabo. Al terminarlo, organicen actividades para evaluar y reflexionar sobre el desarrollo del proyecto.

En equipo lleguen a un acuerdo para decidir qué nombre le darán a su proyecto.

La prevención de riesgos, las medidas de conservación y cuidado del ambiente, así como el aprovechamiento de los materiales, son temas sugeridos para este proyecto. Pueden elegir alguno de ellos o proponer otros que sean de su interés y permitan aplicar e integrar lo que aprendieron en este curso.

Recuerden que antes de llevar a cabo las actividades deben planearlas y consultarlas con su maestro.

Consulten el bloque I de su libro de Formación Cívica y Ética, así como las actividades de promoción y cuidado de la salud en el libro de Educación Física.

Planeación

Nombre del proyecto: _____
Pregunta

¿Qué problemas relacionados con los temas de este curso existen en nuestra escuela o en el lugar donde vivimos?

¿Cuál de todos es el que nos interesa desarrollar en el proyecto?

¿Qué resultados pensamos obtener?

¿Cómo vamos a realizar nuestro proyecto?

¿Qué materiales necesitamos y cómo los vamos a conseguir?

¿Cuándo iniciaremos nuestro proyecto?

¿En cuánto tiempo lo vamos a desarrollar?

¿En dónde lo vamos a llevar a cabo?

¿Quiénes van a participar en cada actividad?

Desarrollo

A continuación encontrarán algunas propuestas y preguntas para su proyecto, en equipo planteen otras.

Para el proyecto 1 "La prevención de riesgos"

Pregunta

¿Cuáles son los accidentes más comunes que podemos tener en la casa y cómo podemos prevenirlos? _____

¿Qué acciones podemos llevar a cabo en la comunidad escolar para prevenir las adicciones?

Lo que puede ocasionar la mochila

Analiza, deduce y opina.

Organizados en equipos analicen la siguiente información. Posteriormente contesten lo que se pide.

Un problema que se ha estudiado últimamente es el efecto del peso de las mochilas que cargan los niños. Se ha descubierto que si cargan más de 10% de su peso corporal pueden tener problemas de salud en la columna vertebral.

En un grupo de quinto grado se averiguó cuántos niños del salón cargan más de 10% de su peso corporal, el maestro llevó una báscula a la clase. Cada alumno se pesó y también su mochila, luego calcularon qué porcentaje (%) representa el peso de la mochila respecto del peso corporal y obtuvieron los siguientes datos.

Porcentaje del peso de la mochila respecto al peso corporal en niños de quinto grado.

11.3	7.5	9.3	9.1	5.6	7.5	7.9	7.3	6.8	10.8
10.2	7.8	7.4	11.3	13.2	8.8	9.2	13.4	12.5	12.6
7.3	8.1	5.2	6.3	5.8	7.9	5.7	9.8	10.5	6.4

En equipo consulten los datos de la tabla y respondan:
a) ¿Cuál fue el porcentaje más alto? _____
b) ¿Cuál fue el porcentaje más bajo? _____
c) ¿Entre qué porcentajes está la mayoría de los alumnos? _____
d) De los 30 alumnos, ¿cuántos ponen en riesgo su salud? _____

¿Cuántos están en riesgo?

Investiga, analiza y comunica.

Organicen equipos para la siguiente actividad. Realicen una investigación en su grupo para saber cuántos compañeros ponen en riesgo su salud por cargar mochilas con un peso superior al 10% de su peso corporal, señalen con algún color a los que están en riesgo. Registren sus resultados en una tabla con la información siguiente.

Alumnos que ponen en riesgo su salud por cargar mochilas con un peso superior al 10% de su peso corporal.

Núm.	Nombre	Peso (kilogramos)		Porcentaje (%)
		Corporal	Mochila	
1				
2				

Ahora, comenta con tu profesor y compañeros de grupo los siguientes planteamientos:
a) ¿Qué acciones les corresponde realizar para cuidar su salud, cuando cargan su mochila y otros objetos que pesan más del 10% de su peso corporal? _____
b) ¿Qué acciones le corresponde realizar a los directivos de la escuela para controlar que los alumnos no carguen más del 10% de su peso corporal? _____
c) ¿Existen otras acciones que puedan provocarte algún riesgo en tu salud? _____

A continuación, observen las situaciones de los cuadros y seleccionen con una (√) aquellas que realizan. Con ayuda de su maestro discutan sobre las medidas preventivas que deben llevar a cabo para cuidar su salud. Después elaboren un periódico mural.

Situaciones	Medidas preventivas
	• El lugar debe contar con iluminación natural o artificial. • Las pantallas se deben ubicar al centro de la altura de los ojos.
	• Las pantallas deben colocarse de forma que detrás o delante de ellas exista una pared, o en el caso de que se encuentre una ventana colocar cortinas o persianas. • Preferentemente, se debe utilizar un apoyo para regular la altura e inclinación de los documentos.

Situaciones	Medidas preventivas
	• Las sillas deben permitir tocar el piso con los pies, sin que las rodillas estén inclinadas hacia arriba o abajo, así como mantener la espalda recta. • Se deben realizar descansos o actividades que favorezcan el combinar posiciones de pie y sentado.

Para el proyecto 2 "Medidas de conservación del ambiente"

Pregunta

¿Qué problemas ambientales existen en nuestra localidad y a qué se deben? _____

¿Qué medidas de conservación se practican en el lugar donde vivimos? _____

Comunicación

En grupo, acuerden qué actividades realizarán para que su comunidad educativa y las personas del lugar donde viven se enteren de su proyecto. Pueden elaborar periódicos murales y trípticos.

Evaluación del proyecto

Es tiempo de que evalúes lo que has aprendido en este proyecto. Lee cada enunciado y marca con una (√) el nivel que hayas logrado alcanzar.

	Sí	No	A veces	Qué puedo hacer para mejorar
Identifiqué situaciones problemáticas o preguntas para desarrollar mi proyecto.	○	○	○	_____
Elegí información confiable de diversas fuentes para mi proyecto, a fin de poder reflexionar.	○	○	○	_____
Compartí con los miembros de mi equipo y escuché sus propuestas.	○	○	○	_____

Evaluación

1. Observa las columnas y con base en lo que aprendiste en este bloque, relaciona el nombre del componente del Sistema Solar con la descripción que lo identifica:

Componente del Sistema Solar:

a) Tierra.
b) Asteroides.
c) Sol.
d) Júpiter, Saturno, Urano y Neptuno.
e) Mercurio, Venus, Tierra y Marte.
f) Satélites.

Descripción:

 i) Astro que emite luz.
 ii) Planetas pequeños.
 iii) Planetas gigantes.
 iv) Tercer planeta del Sistema Solar.
 v) Cuerpos que giran alrededor de los planetas.
 vi) Se conocen como cuerpos menores.

2. Subraya la respuesta correcta. De acuerdo con lo que aprendiste, el Sistema Solar está formado por:
a) Nueve planetas, estrellas, asteroides y satélites.
b) Ocho planetas, una estrella, satélites y asteroides.
c) Una estrella, siete planetas y asteroides.
d) Galaxias, una estrella, satélites y asteroides.

3. ¿Cuál es la importancia del telescopio para el conocimiento del Sistema Solar?

_____
_____
_____
_____
_____
_____
_____
_____

Autoevaluación

Es hora de que revises lo que has aprendido en este bloque. Lee cada enunciado y marca con una (✓) el nivel que hayas logrado alcanzar. Así podrás reconocer cómo fue tu desempeño personal y de equipo, para poder mejorarlo.

	Siempre	A veces	Casi nunca
Puedo describir la organización y el movimiento de los componentes del Sistema Solar.	○	○	○
Puedo reconocer la importancia del telescopio para el conocimiento del Sistema Solar.	○	○	○

¿En qué otras situaciones puedes aplicar lo que aprendiste en este bloque? _____
_____
_____

	Siempre	A veces	Casi nunca
Participé de manera colaborativa en las actividades del proyecto.	○	○	○
Expresé curiosidad e interés en plantear preguntas y buscar respuestas para el proyecto.	○	○	○

Me propongo mejorar en: _____
_____

Bibliografía

AUSUBEL, David Paul et al., *Psicología educativa. Un punto de vista cognoscitivo*, México, Trillas, 1976.

BOADA, Martí y Víctor M. Toledo., *El planeta nuestro cuerpo. La ecología. El ambientalismo y la crisis de la modernidad* (La ciencia para todos 102), México, FCE-Conacyt, 2003.

CHANCELLOR, D., *Planeta Tierra*, Madrid, Edipula, 2007.

FLORES, Fernando y Leticia Gallegos Cázares, "Construcción de conceptos físicos en estudiantes. La influencia del contexto", *Perfiles educativos*, XXI, 1999, pp. 85-86 y 90-103.

GUERRERO, Manuel. *El agua*, 5a. ed., México, FCE-Conacyt. 2006 (La ciencia para todos 102).

HURDMART, Charlotte. *Un viaje a… la edad de piedra*, México, SEP-Uribe y Ferrari (Libros del Rincón), 2004.

KIND, Vanessa. *Más allá de las apariencias. Ideas previas de los estudiantes sobre conceptos básicos de química*, México, SEP-Santillana (Biblioteca para la actualización del maestro), 2004.

LACUEVA, Aurora. *Ciencia y tecnología en la escuela*, México, SEP-Alejandría, 2008.

LOSEE, John. *Introducción histórica a la filosofía de la ciencia*, Alianza, México, 2001.

MATOS, Tonatiuh. *De qué está hecho el universo*, México, FCE, 2004.

PORRITT, Jonathan. *Salvemos la Tierra*, México, Aguilar, 1991.

ROS FERRÉ, Rosa María, Albert Capell y Josep Colom, *Sistema Solar. Actividades para el aula*, Barcelona, Antares, 2005.

SAHAGÚN, Fray Bernardino de, *Historia general de la cosas de la Nueva España*, México, Porrúa, 2006.

STRATHERN, Paul. *Galileo y el Sistema Solar*, México, Siglo XXI, 1999.

VÁZQUEZ SÁNCHEZ, A., *Física 1. Mecánica*, cuaderno de trabajo, México, Pearson, 2007.

Créditos iconográficos

p. 8, niña estudiando, © Latinstock.

p. 10, niños jugando en una calle de Brasil, fotografía de David R. Frazier Photolibrary, © Latinstock.

p. 11, (arriba) nopalitos sobre tostadas, fotografía de Víctor Alain Ibáñez, © Petra Ediciones; (abajo) taekwondo femenino en las olimpiadas de Beijing 2008, fotografía de Michael Reynolds, © Latinstock.

p. 12, (arriba) cartel promocional de comida chatarra; (abajo) cartel promocional de comida sana, © Jimmar Vásquez.

p. 13, elote; plátano; aguacate; plato de frijoles, fotografías de Víctor Alain Ibáñez, © Petra Ediciones.

p. 14, (izq.) cacahuates; (der.) esquema de los riegos de la obesidad, © Jimmar Vásquez.

p. 15, (arriba) alimentos nutritivos, fotografías de Víctor Alain Ibáñez, © Petra Ediciones; (abajo) Jarra del Buen Beber.

p. 16, (arriba) usando un metate, Michoacán, México, fotografía de Adalberto Ríos Szalay; (centro) familia purépecha sentada a la mesa, fotografía de Adalberto Ríos Szalay, © Photo Stock; (abajo izq.) sope con ensalada de nopales, fotografía de Salatiel Barragán.

p. 17, (arriba) Plato del Bien Comer, © Secretaría de Educación Pública; (abajo) madre amamantando a su bebé, fotografía de Jennie Woodcock, © Latinstock.

p. 18, (abajo); tacos, tamales, atole y pozole, fotografía de Víctor Alain Ibáñez, © Petra Ediciones; (arriba) tunas, © Jill Hartley.

p. 19, cómic, Manuel Marín.

p. 20, (arriba) tipos de cuerpos femeninos, ilustración de Roger Harris; (abajo) cinta métrica, fotografía de Michael Nitzschke, © Photo Stock; (centro) báscula roja, fotografía de Sagel y Kranefeld.

p. 21, (arriba) tipos de cuerpos masculinos, ilustración de Roger Harris, © Science Photo Library; (centro) papas fritas; (abajo) refrescos, fotografía de Víctor Alain Ibáñez, © Petra Ediciones.

p. 22, ; (abajo) una joven observa su figura en un espejo, fotografía de Óscar Burriel, © Science Photo Library, (abajo) familia paseando en bicicleta por el centro histórico de Ciudad de México, fotografía de Alejandro Amezcua, © Latinstock.

p. 23, (arriba) poca grasa abdominal; (abajo) alta acumulación de grasa abdominal, © www.TheVisualMD.com.

p. 24, (arriba) la grasa subcutánea se mide con un plicómetro, fotografía de Spencer Grant, © Latinstock; (abajo der.) esquema de una arteria, © Jimmar Vásquez; (abajo izq.) caso severo de depósitos de grasa en el corazón, fotografía de CNRI, © Science Photo Library.

p. 25, (arriba) prueba de glucosa, fotografía de Eddie Lawrence, © Science Photo Library; (abajo) baumanómetro y estetoscopio, © Latinstock.

p. 26, calavera con cigarro, fotografía de Martin Shields, © Latinstock.

p. 27, olas rompiendo cerca de un aldeano, fotografía de EPA, © Latinstock.

p. 28, (arriba) adolescentes, fotografía de Ann Summa, © Latinstock; (abajo izq.) © Other Images,

Niños palestinos; (centro) adolescente deprimida, fotografía de Franklyn Rodgers, © Science Photo Library.

p. 29, adolescente con depresión fotografía de Víctor Alain Ibáñez, © Petra Ediciones.

p. 30, (arriba) cerebro con coágulo; cirrosis; cáncer estomacal; pulmón de fumador; pulmón sano, © Jimmar Vásquez; (abajo) paciente en desintoxicación, fotografía de Ed Kashi, © Latinstock.

p. 31, gráfica de consumo de drogas, © Diana Mata.

p. 32, (arriba) pegamento industrial y aguarrás fotografía de Víctor Alain Ibáñez, © Petra Ediciones, prueba para detectar la presencia de una sustancia prohibida en una muestra proporcionada por un deportista. Laboratorio antidopaje del Instituto Ruso de Investigación de Cultura Física y Deportes, fotografía tomada en 2005, © Photo Stock.

p. 33, adolescente trepando por un árbol, fotografía Judith Wagner, © Latinstock.

pp. 34-35, adolescentes tomados de las manos, © Latinstock.

pp. 36-37, sistema endocrino femenino y masculino, © Jimmar Vásquez.

p. 38, (arriba) óvulo rodeado de espermatozoides, fotografía de Visuals Unlimited; (abajo) aparato sexual de la mujer, visualización de Anatomical Travelogue, © Latinstock.

p. 39, (arriba) espermatozoide, fotografía de Eye of Science, © Science Photo Library; (abajo) aparato sexual del hombre, visualización de Anatomical Travelogue, © Latinstock.

p. 40, (abajo) adolescente durmiendo, fotografía de Richard T. Nowitz, ; (arriba ider.) micrografía electrónica de barrido de un espermatozoide fertilizando un óvulo, © Photo Stock.

p. 41, (der.) interior del cerebro humano, © Jimmar Vásquez; (izq.) escalador haciendo *rappel*, fotografía de Greg Epperson, © Photo Stock.

p. 42, (arriba) niña con toalla, fotografía de Gustavo Andrade, © Photo Stock; (abajo, de izq. a der.) papel de baño; jabón y estopa; toallas sanitarias, fotografías de Víctor Alain Ibáñez, © Petra Ediciones.

p. 43, niño tomando un baño, fotografía de GIRAL.

p. 48, escultura en el Jardín del Inglés, fotografía de Esteban Saavedra, © Latinstock.

p. 50, Paisaje con nopal y zacate, Guanajuato, fotografía de Arturo Osorno, © Latinstock.

p. 51, guamúchiles, fotografía de Víctor Alain Ibáñez, © Petra Ediciones.

p. 52, (abajo der.) órgano y saguaro en el desierto, fotografía de Bob Gibbons, © Science Photo Library; (arriba) lobo mexicano, fotografía de Frans Lanting; (abajo izq.) león marino en Baja California, fotografía de Onne van der Wal, © Latinstock.

p. 53, (arriba) nido de águila pescadora, fotografía de Andoni Canela, © Photo Stock; (centro izq.) lagarto mexicano, fotografía de Joe McDonald; (centro der.) lagartija arborícola, fotografía de Steve Cooper; (abajo der.) murciélago pescador mexicano, fotografía de Merlin Tuttle, © Latinstock; (abajo izq.)

jaguar, fotografía de Steve Allen, © Science Photo Library.

p. 54, (arriba) mapa de las áreas protegidas de México, © Diana Mata; (abajo) mariposas monarca, fotografía de Millard H. Sharp, © Latinstock.

p. 55, (arriba) niña plantando fresa, fotografía de Lisa Petkau; (abajo) materiales de la actividad, fotografía de Víctor Alain Ibáñez, © Petra Ediciones.

p. 56, bosque tropical, © Jesús Cortés.

p. 57, magnolia, © Arturo Curiel Ballesteros.

p. 58, (arriba) mapa de los bosques mesófilos en México, © Diana Mata; (centro) águila arpía, fotografía de Tom McHugh, © Latinstock (abajo der.) tapir, fotografía de Gerry Ellis, © Latinstock; (abajo izq.) bosque mesófilo, © Jesús Cortés.

p. 59, (arriba) quetzal macho, fotografía de Glenn Bartley, © Latinstock; (abajo izq.) tiburón martillo, fotografía de Peter Scoones; (abajo der.) manglares, fotografía de Dirk Wiersma, © Science Photo Library; (centro) humedal, © Jesús Cortés.

p. 60, (arriba izq.) bosque espinoso; (arriba der.) bosque de cactáceas columnares; (abajo izq.) pradera de alta montaña; (abajo der.) bosque de encino, © Jesús Cortés; (centro izq.) pastizal, fotografía de Heeb Christian; (centro der.) desierto de Chihuahua, fotografía de Gerry Ellis, © Latinstock.

p. 61, (arriba) selva baja de Chamela, fotografía de Gerardo Ceballos, © Conabio; (abajo) bosque de pino, © Jesús Cortés.

p. 62, canasta con alimentos de pesca y recolección; cazador; nómadas, © Jimmar Vásquez.

p. 63, cultura sedentaria prehispánica, © Felipe Dávalos.

p. 64, (arriba) tortuga, fotografía de Víctor Alain Ibáñez, © Petra Ediciones; (abajo) flamencos en el Río Lagartos, Yucatán, fotografía de Thomas Marent, © Latinstock.

p. 65, (arriba) peces muertos por agua contaminada, fotografía de Simon Booth, © Science Photo Library; (abajo izq.) derrame de petróleo en el Golfo de México, 2010.

p. 66, (arriba) campo de algodón, fotografía de Wilfried Krecichwost; (abajo) pozo petrolero en Campeche, fotografía de J. Gerard Sidaner, © Latinstock.

p. 67, vegetación de México, © Diana Mata.

p. 68, tala de árboles en una selva tropical, fotografía de Anders Haglund, © Photo Stock; (centro der.) desierto de Chihuahua, fotografía de Gerry Ellis, © Latinstock.

p. 69, lirio, fotografía de Richard R. Hansen, © Latinstock.

p. 70, (arriba der.) planta de cultivos comerciales, deforestación, Chiapas, México, © Other Images; (abajo) desertificación del Mar Aral, fotografía de Massimo Brega, © Science Photo Library.

p. 71, pirámide alimentaria, © Jimmar Vásquez.

p. 72, (centro der.) carpa bicolor, fotografía de Roberto Chavarría, © Semarnat; (izq.) cirio *Fouquieria columnaris*, fotografía de Louise Murray, © Photo Stock; (abajo der.) teporingo *Romerolagus diazi*, fotografía de Óscar Moctezuma, © Conabio.

p. 73, (arriba) cotorra serrana, fotografía de Art Wolfe; (centro) iguana espinosa, fotografía de John Mitchell, © Latinstock; (abajo) ajolote, fotografía de Nigel Downer, © Photo Stock.

p. 78, burbujas de aire provocadas por un buzo, fotografía de Jim Edds, © Science Photo Library.

p. 80, aguas frescas, fotografía de Víctor Alain Ibáñez, © Petra Ediciones.

p. 81, distintas soluciones, fotografía de Andrew Lambert Photography, © Science Photo Library.

p. 82, porcentaje de agua de un adulto; porcentaje de agua de un chapulín; porcentaje de agua de un jitomate; porcentaje de agua de un pez, © Jimmar Vásquez.

p. 83, (arriba) vasos con refresco; (abajo) virtiendo un refresco, fotografías de Víctor Alain Ibáñez, © Petra Ediciones.

p. 84, (izq.) corredora en una competencia; (der.) cubos de azúcar y refresco, © Latinstock.

p. 85, (arriba) pastilla cayendo en un vaso de agua, fotografía de Chris Collins, © Latinstock; (abajo) productos de limpieza, fotografía de Víctor Alain Ibáñez, © Petra Ediciones.

p. 86, (arriba) aguas residuales, fotografía de Robert Brook; (abajo) análisis de agua, fotografía de TEK Image, © Science Photo Library.

p. 87, tierra contaminada, fotografía de Robert Brook.

p. 88, mezcla de cemento, fotografía de Bartomeu Amengual, © Photo Stock.

p. 89, pasta y cepillo de dientes, fotografía de Víctor Alain Ibáñez, © Petra Ediciones.

p. 90, (de izq. a der.) evaporación; imantación; filtración; decantación, © Jimmar Vásquez.

p. 91, agua purificada; aceite; sal; semillas de frijol; cuchara; consomé, fotografía de Víctor Alain Ibáñez, © Petra Ediciones.

p. 92, (arriba) nanotubos, ilustración de Laguna Design; (abajo) tanque de gas butano, fotografía de Martyn F. Chillmaid, © Science Photo Library.

p. 93, (der.) humo saliendo del escape de un auto, fotografía de Martin Bond, © Science Photo Library; (izq.) esmog sobre Ciudad de México, fotografía de Conor Caffrey, © Photo Stock.

p. 94, lucha libre, fotografía de Rosalío Vera, © Latinstock.

p. 95, (arriba) esquema de una pelota cayendo, © Jimmar Vásquez; (abajo) pingüinos saltando desde un glaciar en Antártida, fotografía de Steve Allen, © Science Photo Library.

p. 96, paracaidistas en caída libre, fotografía de OM3.

p. 97, (arriba) Columbia, el primer transbordador lanzado al espacio, 1981, fotografía de NASA, © Science Photo Library; (abajo) niña columpiándose en una cuerda, fotografía de Barry Rosenthal, © Latinstock.

p. 99, (izq.) dinamómetro, © Other Images; (abajo) filtro de agua, © Jimmar Vásquez.

p. 102, diapasón, fotografía de ASP/YYP, © Photo Stock.

pp. 104-105, reproductor de música, fotografía de Víctor Alain Ibáñez, © Petra Ediciones.

p. 105, (abajo) ballena jorobada, fotografía de Christopher Swann, © Science Photo Library.

p. 106, (arriba) oído externo, regla y reloj mecánico, © Jimmar Vásquez; (centro) reloj, © Photo Stock.

p. 107, (centro) esquema de un resorte siendo estirado; (der.) gotas y ondas de agua, fotografía de Chase Swift, © Latinstock.

p. 108, (abajo) teléfono de latas y cuerda, fotografía de Víctor Alain Ibáñez, © Petra Ediciones; (arriba) delfín en un acuario, fotografía de Chris Sattlberger, © Science Photo Library.

p. 109, esquema de botellas, © Jimmar Vásquez.

p. 110, (arriba) instrumento para monitorear la contaminación auditiva, fotografía de NASA, © Science Photo Library; (centro) representación de ondas sonoras, © Jimmar Vásquez; (izq.) bocinas de alarma, fotografía de Jim Edds, © Latinstock.

pp. 112-113, relámpagos, fotografía de Jim Reed Photography, © Science Photo Library.

p. 114, circuito eléctrico con foco, © Jimmar Vásquez.

p. 115, (abajo) esquema de un circuito encendido; (arriba) esquema de un circuito apagado, © Jimmar Vásquez.

p. 116, desatornillador; pinzas; cables eléctricos; alambre de cobre; cuchara; reloj digital, fotografía de Víctor Alain Ibáñez, © Petra Ediciones.

p. 117, (de arriba a abajo) planta hidroeléctrica, Veracruz, fotografía de Leonardo Díaz Romero; central eléctrica, México, fotografía de Carlos S. Pereyra; desfibrilador, fotografía de Europhoto, © Photo Stock.

p. 118, líquido inflamable derramado sobre el suelo, fotografía de Paul Rapson, © Science Photo Library.

p. 120, cerillo; olla; plancha; mechero calentando un cuerpo metálico; esquema de transmisión de calor; esquema de agua hirviendo, © Jimmar Vásquez.

p. 121, (arriba) aserrín; agua; aserrín revuelto en el agua; aserrín asentado en el agua, fotografía de Víctor Alain Ibáñez, © Petra Ediciones; (centro) esquema de la radiación del calor solar, © Jimmar Vásquez.

p. 122, termómetro, fotografía de Gustoimages, © Science Photo Library.

p. 123, (arriba) imagen infrarroja de las temperaturas globales, abril de 2003, imagen satelital de NASA; (abajo) niños en el parque, termograma de Tony McConnell, © Science Photo Library.

p. 128, imagen de la galaxia M51 tomada por el telescopio espacial Hubble, fotografía de NASA, © Science Photo Library.

p. 130, montaje de los planetas del Sistema Solar, © NASA.

p. 131, ilustración de la Esfera Ecuatorial, fotografía de Gianni Tortoli, © Latinstock.

p. 132, (arriba) una enorme curva de gases calientes crea un asa en el Sol, © NASA; (abajo) los planetas del Sistema Solar con el Sol al centro, ilustración de David A. Hardy, © Science Photo Library.

p. 133, (arriba) esquema de la rotación de la Tierra, © Jimmar Vásquez; (abajo) Sistema Solar con el Sol al centro y los ocho planetas alrededor de él, ilustración de Friedrich Saurer, © Photo Stock.

p. 134, esquema de la actividad, © Jimmar Vásquez.

p. 135, (arriba) ilustración de un cinturón de asteroides alrededor de una estrella, © NASA; (abajo) cinturón de asteroides, ilustración de Roger Harris.

p. 136, (arriba) asteroide Gaspra, © NASA; (abajo) meteorito Hoba, fotografía de Sinclair Stammers, © Science Photo Library.

p. 137, (arriba) imagen compuesta de Saturno y sus lunas, ilustración de NASA; (abajo) la Luna y la Tierra, ilustración de Richard Bizley, © Science Photo Library.

p. 138, (arriba) Sputnik I, el primer satélite artificial, fotografía de Detlev van Ravenswaay; (abajo) nave espacial Kliper, 2005, fotografía de Ria Novosti, © Science Photo Library.

p. 139, (arriba) Saturno y dos de sus lunas, 1980, fotografía de NASA; (abajo izq.) imagen coloreada de Io, una luna de Júpiter, fotografía de NASA; (abajo der.) montaje de Júpiter e Io, imágenes tomadas por la nave espacial New Horizons en 2007, imagen de NASA, © Science Photo Library.

p. 140, (arriba) detalle del calendario azteca mostrando al dios del Sol arriba y al dios de la oscuridad abajo, fotografía de Werner Forman; (abajo) Tonatiuh, dios del Sol, fotografía de Werner Forman, © Latinstock.

p. 141, ilustración de una lección de astronomía, ilustración del siglo XIII, © Science Photo Library.

p. 142, (arriba izq.) Marte, imagen compuesta de las naves espaciales Viking I y II, fotografía de US Geological Survey; (arriba der.) Venus, ilustración de Friedrich Saurer; (centro) Mercurio, imagen compuesta de la nave espacial Mariner 10, fotografía de US Geological Survey; (abajo) Júpiter visto desde el telescopio espacial Hubble, 1991, fotografía de NASA, © Science Photo Library.

p. 143, (arriba) diagrama del montaje de un telescopio ecuatorial universal, fotografía de la Sociedad Astronómica Real; (abajo) Stonehenge, fotografía de Chris Madeley, © Science Photo Library.

p. 144, (arriba) observatorio maya en Chichén-Itzá, © Latinstock; (centro) cosmología ptolomeica, ilustración de Sheila Terry; (abajo izq.) retrato de Nicolás Copérnico, ilustración de Detlev van Ravensswaay; (abajo der.) retrato de Galileo Galilei, ilustración de Sheila Terry, © Science Photo Library.

p. 145, (arriba) ilustración de una demostración del telescopio de Galileo en Venecia, Italia, 1609, © Science Photo Library; (abajo) telescopios de Galileo Galilei, fotografía de Gustavo Tomsich, © Latinstock.

p. 146, (arriba) telescopio espacial Hubble en órbita, fotografía de NASA, © Science Photo Library; (abajo izq.) lanzamiento del telescopio espacial Spitzer, Florida, fotografía de NASA, © Latinstock; (abajo der.) ilustración del telescopio Chandra, © NASA.

p. 147, formación del Sistema Solar, ilustración de Mark Garlick, © Science Photo Library.

Ciencias Naturales. Quinto grado se imprimió
por encargo de la Comisión Nacional
de Libros de Texto Gratuitos,
en los talleres de Compañía Editorial Ultra, S.A. de C.V.,
con domicilio en Centeno No. 162, local-2,
Col. Granjas Esmeralda,
C.P. 09810, México, D.F.,
en el mes de marzo de 2011.
El tiro fue de 2'901,850 ejemplares.

Impreso en papel reciclado

¿Qué opinas de tu libro?

Tu opinión es importante para mejorar este libro de *Ciencias Naturales, quinto grado*. Marca con una (✓) la respuesta que mejor la exprese.

1. ¿El libro despertó tu interés por las Ciencias Naturales?
   - ⭕ Sí
   - ⭕ No

2. ¿El lenguaje utilizado es claro?
   - ⭕ Siempre
   - ⭕ Casi siempre
   - ⭕ A veces

3. Las imágenes te ayudaron a:
   - ⭕ Comprender mejor la información
   - ⭕ Desarrollar las actividades

4. ¿Las instrucciones de las actividades fueron claras para ti?
   - ⭕ Siempre
   - ⭕ Casi siempre
   - ⭕ A veces

5. Las actividades te permitieron:
   - ⭕ Desarrollar habilidades científicas
   - ⭕ Realizar investigaciones
   - ⭕ Desarrollar proyectos
   - ⭕ Comprender tu entorno
   - ⭕ Proponer acciones para solucionar problemas

6. De los siguientes apartados, ¿cuáles te ayudaron a comprender mejor los temas tratados?
   - ⭕ Un dato interesante
   - ⭕ La ciencia y sus vínculos
   - ⭕ Consulta en

7. ¿Las páginas electrónicas y libros sugeridos en el apartado "Consulta en" te fueron de fácil acceso?
   - ⭕ Siempre
   - ⭕ Casi siempre
   - ⭕ A veces

8. Las evaluaciones y autoevaluaciones te ayudaron a:
   - ⭕ Valorar lo que aprendiste
   - ⭕ Reflexionar acerca de la utilidad de tu aprendizaje
   - ⭕ Identificar los aspectos que necesitabas mejorar

Si tienes sugerencias para el libro, escríbelas a continuación

_____

_____

_____

_____

_____

_____

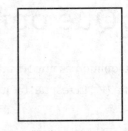

SEP

Dirección General de Materiales Educativos
Dirección de Desarrollo e Innovación de Materiales Educativos
Viaducto Río de la Piedad 507, cuarto piso,
Granjas México, Iztacalco,
08400, México, D. F.

Datos generales

Entidad: _____

Escuela: _____

Turno: Matutino   Vespertino   Escuela de tiempo completo

Nombre del alumno: _____

Domicilio del alumno: _____

Grado: _____